Stanley Robertson is well-known as a master storyteller of the Scottish Traveller People, with an international reputation as an outstanding folk-tale authority and oral tradition-bearer. A nephew of the great ballad-singer Jeannie Robertson, he is an accomplished singer and piper.

For over thirty-nine years he has worked as a fish-filleter in Aberdeen, where he was born in 1940.

Stanley has lectured and performed and held story-telling workshops at colleges, schools and festivals throughout Britain (including Edinburgh, Sidmouth, Torrington) and Europe (Holland, France, Scandinavia, etc) and at the Commonwealth Games, Canada, as well as the USA (Utah, Idaho, Brigham Young, Brandice, New Hampshire, Harvard and East Tennessee state universities). He was guest artist at the International Storytelling Festival in Tennessee in 1993.

Stanley's innumerable television and radio appearances include BBC TV *Story of the English Language* and special guest on BBC Radio 4 *Kaleidoscope* (1993), as well as many film and documentaries world-wide.

Stanley is married with two daughters and four sons. He is available for storytelling performances and workshops.

Other titles:
Exodus to Alford
Nyakim's Windows
Fish-Hooses
Fish-Hooses II
Land of No Death

D0345592

GHOSTIES
AND
GHOULIES

Best wishes

Stanley Robertson

GHOSTIES

AND

GHOULIES

STANLEY
ROBERTSON

ILLUSTRATED BY
ERIC RITCHIE

PHOTOGRAPHS BY
RENA RITCHIE

BALNAIN

Published in 1994 by
Balnain Books
Druim House
Lochloy Road
Nairn IV12 5LF
Scotland

Printed and bound by WSOY (Werner Söderström Osakeyhtiö), Finland

Cataloguing in Publication Data:
A catalogue record for this book is available from the British Library

Cover design by Simon Fraser

ISBN 1 872557 35 X

CONTENTS

1   Keeper of the Snow..7

2   Inverness Demons...13

3   Coming Ower the Don.......................................21

4   The Soulicks..27

5   Retribution..37

6   The Ghost of Maberley Street............................46

7   Web of Secrets...54

     Spooky Experiences...67

8   Halloween 68

9   Room o Monks..75

10 The Skiffie Lassie...81

11 Demon at the Windae..86

12 Robbie Haa..91

13 Black Friday..105

14 The Old Man of Strathdon 117

15 The Corpse that Walked 125

16 The Passagewye under the Loch.....................137

17 The Plusfours Suit..143

18 The Curse of the Langkeck 161

*for Ruth Laird
and the Granite City Chorus
and Kathy Ironside*

KEEPER OF THE SNOW

Cathy wis a level-heided lassie wha didnae let the grass grow under her feet. She had already hid the trauma o making a bad marriage whin she wis only a teenager, but noo she wis mair experienced wi life. Noo her second man wis a bit o a toff and he hid a nice wee property of his ain in King Street and baith Greg and Cathy were very enterprising. Taegither they teen a bit o stopping and Greg wis a university lecturer and Cathy worked at her ain business dealing wi cosmetics and cheap jewellery and she wis daeing rather weel.

Noo Cathy aye wint awa tae Glesga for tae get aa her cheap chatry and she selt her stuff and made a guid profit oot o it and she aye pit her dosh in the bank. Her account wis fairly healthy. Maistly it wis rings, earrings and bangles and the like, but Cathy packed them in bonnie display boxes and she jist hid a wye o being awfy ornate in her presentations. Why, she wid gang roon the fish-hooses and factories alang wi fairs and mairkets. There never wis a time whin she frittered awa her time. Nae fear aboot that. Yet she and Greg aye wint awa abroad for a guid holiday and she wisnae a scrimpy lass but very frugal.

Een time she wis awa tae Glesga to get wares and she hid a lassie wi her wha bade intae Woodside, tae assist her. By the time she got hame tae Aiberdeen it wis jist aifter midnight. Firstly she hid tae drap her freen aff at the Great Northern Road and then trail back tae Bedford Road and she wis traivelling alang jist aside Meston Walk whin her car run oot o petrol. Fit an annoying thing tae happen. At least she wisnae far awa frae her ain hoose in King Street so she thought that she wid tak the lanie that wint up whar aboot the auld Gibberie Wallie wint. Cathy secured and locked her car and she pit aa her stuff intae the boot in case onybody might try tae brak intae it. Then she teen her feet alang the auld Gibberie Wallie lanie. The moon shone like a torch that wye and she wisnae in the least bittie feart. Making a guid stride Cathy walked briskly alang until she cam tae whar aboot the bowling greens and the bairn's swings were, then she teen the last bit alang the short narrow passagewye up tae Sunnybank Road.

It wis only aboot three hunder yairds tae gang and she wid be ontae the proper roads again. There wisnae a living sowel in sight. Why she only hid tae gang tae the end o this isolated wee lanie and walk doon Orchard Street and she wis hame. A sort o wee tune wint through her heid and she started tae lightly sing a bit tae hersel as she walked alang, whin she wis suddenly aware she wisnae alane and she seemed for some reason tae sense something. She turned aroon and saw naething at first but a few seconds later she spied a weird spectre and it stood aboot ten feet high and hid on a lang broon cloak wi a hood and it looked like a giant monk. Her breath failed her for it looked like a phantom frae a horror film. She couldnae scream but momentarily wis as if transfixed on the spot. This huge ghostly spectre louped passed her and she could feel the wind o his cloak but the thing never looked near her. As it passed by it seemed tae be moaning oot o it and sighing "Wha is coming tae set me free..."

In great awe she watched the spirit vanish ower the bushes near the end o the lanie. Soon her adrenalin got pumping and she mustered up her strength and ran as fast as her human feet could cairry her. Afore she got tae the tap o the lanie again she saw the giant spectre and this time it wis making straight for her. She cowered doon aside the bushes but eence again her een were fixed apon it. Next she saw it louping and moaning as it passed her by and again the wind o the cloak hut her in the face. It wis a cauld sepulchral waft and it wint right through her. It vanished intae the Powis Hoosie Estate.

Noo Cathy didnae want tae see it a third time. Panic owercame her and she ran like a mad thing doon oot o the lane and ontae Sunny Bank Road.

Whinever she got aside the College Bounds the streets were aa lichted up. She saw a woman walking wi a dog and fu really pleased she wis, tae meet a real body. Fine she kent the woman, cos it wis Marion and she wis jist walking her wee doggie. Marion noticed her fear and shouted, "Ye look as if ye hae seen a spook, Cathy!"

Still panting and puffin Cathy replied, "Ye never said a truer word, Marion."

"Noo, Cathy, I ken ye are nae far awa frae yer hoose but I insist that ye come upstairs wi me and get a strong cup o tea or something even stronger for tae calm yer nerves."

Cathy agreed and the twa women wint up tae Marion's hoose in the College Bounds. It wis the second storey flat nae that far doon the road. Whin they got inside the hoose, Marion pit on the kettle and aifter the tea Cathy started tae tell Marion the weird story aboot whit she hid seen. Marion wis aa ears and nodded her heid eence or twice.

"I ken ye dinnae believe me Marion, but I tell ye it happened tae me and it gied mi a great fleg."

"Hey lassie, I didnae say I didnae believe ye, cos I ken whit it is."

Cathy was thunderstruck.

"Ye mean ye ken whit it is? And hae ye seen it as weel?"

"Aye, indeed I hae seen it," she replied. "That is the Keeper o the Snow".

"Whit the hell is the Keeper o the Snow?" asked Cathy.

"Weel if ye look ootside o mi windae ye see it faces the front row o auld hooses? Weel, at the back o that hooses lies the Snow."

"O come on Marion. Whit is the Snow? It is the height of simmer we're living in," retorted Cathy.

Marion rejoined, "It is the littlest and auldest cemetary in Alberdeen. It is cawed the Snow Cemetery and the locals call it *The Snaw*.

"Naebody his been buried there for donkeys o years and it is supposed tae hae a sentinel keeper tae it. Ye see, here in Scotland, there is an auld belief that the last person buried becomes the keeper o the grave until such time as the next een relieves it, but as there is nae person buried there for sic a lang time then the last person buried there becomes a banshee and is wearily seeking rest but it cannae get ony. Therefore it moans and groans and haunts the neighbourhood."

Cathy wis astounded.

"Ye see Cathy sometimes I hae teen the wee doggie oot for a walk roon that bit at night and aye lassie, I hiv seen it as weel."

Marion phoned up for Cathy's man tae come and collect her and telt him that the car hid broken doon. Whin Greg cam roon Cathy thanked Marion for taking her in and sharing her friendship wi her and gieing her a bit o comfort. She didnae tell Greg the actual story aboot whit really happened and her strange experiences o the night, but he kent that something strange hid startled his wife.

Frae that time onwards Cathy never walked roon aboot that pairt o the toon and she aye avoided the Gibberie Wallie and its narrow lanes, for she thocht the Keeper might still be aboot.

And jist maybe she is richt.

THE INVERNESS DEMONS

They cawed themselves "the Revolutionairs" and they sang folk songs o Scotland and also o America. Davie and Dan were great freens but they came frae very different backgrounds. Davie wis a peer Aiberdeen fish worker wha could sing and play the guitar real weel and he stuck mair tae the Scottish Traditional stuff whilst Dan, weel, he wis brought up in a real toffy atmosphere. His mither wis a doctor and his faither wis a minister and he himself wint tae university and hid a degree o some kind but really never pursued ony academic profession but he liked tae sing. Dan could play classical guitar and he hid talent as a musician but he wis a vile singer. He could be blamed for many things but being a bonnie singer certainly wisnae een o them. Yet the twa lads worked weel wi een anither and they got a lot o gigs playing at pubs and folk clubs.

Aye time they got a booking for a club in Inverness and it wis held in a fancy hotel near the riverside. They were getting twenty five pounds for the folk performance and they were quite happy wi that cos baith o them were very hard up. Davie hid a wife and a couple o kids tae support but Dan hid only himsel tae keep and if he wis really hitting the poverty level then he could jist gie mummie a ring and she wid send up money. Really Dan made his ain mistakes but he liked the idea o being free and he wis whit ye may say, a kind o hippie at heart.

Weel, they didnae hae the price o their fares up in the bus tae Inverness so they hitch hiked up in an awfie blizzard. At least they kent they wid hae twelve pounds and fifty pence each aifter their show at the club. Weel, they did manage tae get up tae the club and pit on a decent kind o show. Aifter the show they hid a few pints wi the folk punters and then they were given accommodation in a big hoose in Inverness nae far frae Tomnahurich Cemetery. The young toff woman wha they were biding wi hid a nice hoose and it wis on three levels. There wis a doonstairs sort o kitchen and dining area and the next floor hid a wee narrow bed and oddly enough, twa sinks. There wis a big mantle piece wi twa orra-looking statues on top o it and they looked really ominous.

Davie was a bit o a psychic and he didnae like the aura emitting aff o them but, being guid mannered, didnae say onything tae his host. On the ither hand, Dan wis a wee bittie inebriated and wis feeling rather jolly, singing bawdy American sangs.

The top pairt o the hoose wis the nicest pairt and the lady o the hoose made it like a real homely flat. There were twa beds in it and it wis very spacious and they hid a kind o a ceilidh there until about one in the morning. Noo Davie hid tae get back tae the fish-hoose whar he worked for tae start in the morning, so the lady telt him that he could sleep in the doonstairs room, since he wid be leaving about five thirty tae catch the first train back tae Aiberdeen, then he could dae so withoot ony fuss or bother. Dan wis invited tae sleep upstairs in her ain flat alang wi some ither folks that seemed tae be staying aanight.

Before he wint doonstairs Davie asked the lady aboot the strange statues on the mantle piece on the floor whar he wis sleeping. She telt him they were Eskimo Demons frae Alaska and they were used tae ward aff evil spirits. Davie thought tae himself that they were indeed evil themsels. Onywye Davie wint doonstairs aifter bidding aa the folks guidnight.

The wee narrow bed wis very uncomfortable and it wis freezing cauld. Davie didnae like the feeling o the room. Aifter a wee while he fell asleep and awoke up tae the horrible noise o a wailing sound. He soon found oot it wis the waater pipes in the sinks that made the maist ghastly eerie sounds he ever heard. It wis as if some demented soul frae Hell wis trapped in the pipes. Although he got a bit o a startle he tried tae get back tae sleep. Whin the noise o the pipes stopped then it wis supplanted by anither strange creaking sound. Wid ye believe it? An auld rocking chair in a corner o the room started tae rock by itsel and Davie could see an auld illnatured culloch sitting upon it. She didnae look very civil and she rocked and rocked and glowered ower tae Davie and she arose aff the chair and came right ower tae his face and grunted.

"Get oot o mi hoose, ye horrible stranger."

Davie near teen a heart fright but aifter a minute he began tae rationalize that it must hae only bin a very realistic dream.

He looked aroon the room and he could see weel enough tae ken that there wisnae an auld culloch in the room and it wis aa a figment o his imagination. So he calmed himsel doon and tried tae settle intae a sleep eence mair. Somehow his een caught hud o the twa statues and they made him shudder. They seemed tae be looking at him as weel.

Weel he fell again intae a restless sleep and this time he awoke wi the awfie sound o the pipes howling and he thought it was auld plumbing and that every time someone used the lavvie then the pipes howled. It must hae air bubbles trapped somewye in the pipes.

The horrible noise eventually died doon but whin the deadly silence o the night teen over again he could hear mair than the sound o silence.

A strange high-pitched chirping sound like millions o canaries singing oot o tune filled the room, as if thousands o tuning forks were getting hut at the same time. His ears were almost ready tae burst. Davie sat up in the bed and looked right ower tae the mantlepiece whar the Eskimo Demons were. They looked really evil. Een wis made oot o white whale bone and that wis supposed tae keep aa the white magic and it could protect ye frae the hairm o being eaten by a polar bear or a killer whale. The ither yin wis made oot o black ebony but that yin wis carved as a kind a tourist thing. The white yin wis the real McCoy.

The terrible sounds Davie recognised as demonic sounds cos, being a psychic, he hid experienced many evil things before and he kent that somehow these statues were connected tae dire evil. Aa his senses tuned in and the hair on the back o his neck began tae rise and the frisson wint up his spine. Then suddenly, the hale fireside opened up and it looked like an eternal road intae a large white ice tunnel and it hid a great suction like a pulling vortex and it wis dragging Davie right intae the tunnel. The fella fought it wi aa his strength. Then the maist horrible white and black hideous demons cam oot o the tunnel.

A feeling o doom came across his soul and he kent that he wid hae tae fecht for his bare death and life tae save himsel frae gan intae the tunnel.

He could feel its evil strength. Cauld white icy mists were coming oot o the tunnel and the Demons were trying tae entice him in forcefully. It was as if the powers o darkness were against him. Wi great internal spiritual determination Davie managed tae brak free frae them and he arose, pit on his claes very speedily, and ran doon the stairs tae the front door. Quickly he wint ootside intae the night. The hoose stood very near Tomnahurich cemetery and it was a very creepy dark night. As he walked briskly doon the road taewards the toon centre everything wis deadly still. A deep awareness o psychic movements started tae press heavily on his mind. An evil smell seemed tae surround him.

Fear gripped at his heart so he started to rin doon the road. Shadows were cast frae the few lamps in the street. Then he wis aware that he wis nae alane. As he stopped for a second he could see hundreds o demons and evil spirits aa behind him. Then he really ran fast. Awa in the distance he could see the Ness river and he kent that if he could get tae the river and mak it across, then the evil couldnae follow him cos moving waater is a natural barrier against evil forces. He rin until he felt his hcart wis gan tae burst. A stitch nagged at his side but he kept on rinning. He remembered that he hid left his guitar. There wis nae wye he wis gan back for it. He saa the bridge coming nearer and nearer but he also felt that the evil wis catching up on him. He felt a hand upon his shooder and, wl a sharp tug, a piece o his jacket tore aff jist as he hit the bridge.

Wi his heart beating like a kettle drum, it wisnae until he got tae the ither side o the river that he felt safe and actually fell doon on the pavement, completely physically and spiritually exhausted. Yet he kent he hid won a victory.

Then, through aa that deid ceilings o the night he walked roon the nightly shades o Inverness streets, for he couldnae get a train till aifter six in the morning. It wis extremely cauld but Davie walked the streets until the station opened up and then he teen the first train hame tae Aiberdeen. The journey hame wis a respite and he fell asleep for maist o the wye.

Later that morning he wint intae work in the fish hoose but he didnae tell onybody aboot his Inverness experiences. He felt completely shattered.

Whin Dan came hame that night he wint up tae

visit Davie. and brought back his guitar.

"Ye hid an impudence leaving me tae cairry hame your guitar. Aifter aa, I hid mi ain een as weel. Come on Davie, fair doos."

Davie apologised tae Dan for leaving his guitar in Inverness but he didnae tell Dan onything aboot the experience cos Dan wis a bit o a prat and didnae understand things o a psychic nature. But Davie laughed tae himsel whin Dan said, "Whit a lovely hoose that wis in Inverness and it wis sae comfortable I slept like a log until morning. And I've jist noticed, whit an awfie smart new jacket ye hae! Yon weird black and white stripes on it wid dazzle the lassies."

"Weel, Dan, why dae ye nae keep a hud o it, seein as I cost ye sic muckle trouble."

And believe it or not, Dan hid mair new experiences aifter that than he hid maybe bargained for, and it opened his een tae anither side o life aa the gither...

COMING OWER THE DON

Only the Auld Deil kens how Tommy managed tae fin himsel at the mooth o the River Don through the deid hours o the night. Onywye, the laddie woke up in sheer amazement and shook his heid and wondered, "far aboot am I?"

Right enough, he remembered gan tae a bar near Seaton. It wis a birthday party for a pal, but Tommy must hae got helluva fu that he landed himsel in this predicament. There wis noo a wee nip in the air and the cauld sea breeze blew through his body. The smell o the sea spume and the dune grass sobered him up like smelling salts. Perhaps it may hae bin a prank cairried oot by his freens in the pub, but it wis a wee bit dangerous tae pit a drunk man sae close tae the estuary whar the Don meets the sea cos there are a lot o very subsiding sands there.

Gieing himsel a shak, Tommy tried tae steer himsel in the right direction tae get back hame. Whar he wis walking wis almost on the beach and the bit ahead o him looked ower the Don mooth tae Murcar. As he wis making his wye the road hame he noticed a young woman, dressed awfy auld fashioned, at the mooth o the river. She wis dressed in a broon coloured frock and she wore a kind o muffler on her heid. Tommy could see her clearly cos it must hae bin aboot four in the morning and it wis in the height o Simmer. Being a wee bit bold he decided tae gie the woman a wave.

"Whit is she daeing on the mooth o the Don at this time in the morning?" he thought tae himsel. "Surely she's nae oot tae fish for flatties?" Yet tae Tommy's amazement the woman buckled up her frock, teen aff her sheen and waded across the mooth o the river. Noo the Don is very shallow at that part and monie's the time Tommy waded across the river himsel whin he wis a wee laddie. He admired the woman for her spunk. Whin she came tae the ither side Tommy clapped his hands and cried "Weel done". In response tae Tommy's cheer the woman smiled and thanked Tommy for his cheerful enthusiasm.

"I hae crossed this river hundreds o times so you see I am no stranger tae Aiberdeen though I hail frae Brechin masell."

Tommy replied, "O, I hae an auld auntie intae Brechin and maybe ye might ken her. Her name is Rosy Dalton and she his bade in Brechin aa her life."

"I'm sorry, I do not know anyone by that name," she replied.

"I thought that everybody kent Auntie Rosy."

"It's always nice tae come tae Aiberdeen but it is getting hard tae get past the guards o the city."

"City guards, ma dear, I dinnae ken whit ye mean?"

"Weel, did ye no ken that naebody is allowed intae Aiberdeen in the meantime and I hae just sneaked in ower the waater."

Tommy jist thought that the woman wis a wee bit killiecrankie, but he kept on bletherin tae her. Somehow this woman seemed tae speak about queer things and things frae lang ago but Tommy jist humoured her as they walked alang the beach taegither taeward Fittie.

"I hae a sister wha bides at Fittie," she wint on, "and her man is a fisherman wi a boat o his ain and he his a guid living. Ma sister is expecting a bairn jist noo and it is important for me tae get tae look aifter her, so ye see how important it wis for mi tae cross the river very silently and through the night tae ensure that naebody saa mi. I hope ye are nae gan tae report me tae the authorities."

"But, woman, it's nae a crime tae cross the river nor tae come intae the toon for that maitter!" Tommy said tae her.

"Weel, I wid be awfy grateful if ye could jist turn

a blind eye and nae mention it tae onybody."

"Ye can be assured that I winnae mention ye tae onybody."

Noo the twa walked alang the Beach until they passed the broad hill and frae there on there were hundreds o folks walking aboot. There wisnae folks on the beach but there were droves aa alang the links. In fact Tommy hid never seen sic a big crowd o folks gan aboot at that time ever afore. There were men, woman and bairns and they were fair swarming like a hive o bees.

Suddenly the woman ran awa frae Tommy and she started tae play wi a heap o bairns wha were amongst the throngs o folks. She danced wi them in a circle and she started singing tae them.

"Ring a ring a roses, a pocket fu o poses, a hush and a hush, and we all fall down." And aa the bairnies fell doon wi her and they were aa laughing wi her. Then she returned tae Tommy aside the sea and sang her song again,

"Ring a ring a roses a pocket fu o poses, a hush and a hush and we all fall down." When Tommy looked ower tae the masses o people they were aa dancing the children's rhyme. Everybody looked sae happy.

Once again she sang it and this time she sang it strangely.

"Ring a ring o roses—a pocket fu o poses—a hush and a hush and we all fall down..."

A weird mist came doon and it covered the people and whin he next looked he could only see a huge cemetery with thousands o names upon the stones.

"Whit are ye woman, a witch o some sort? Whit is yer name? Ye hae mi in a trance or else this is a bad dream I am haeing. Whit is yer name woman?"

"Mi name—mi name—mi name is Death, for I am the great Plague and wherever I gang I cause folks tae dance tae my dance and then they die."

She laughed eerily and then before Tommy's een she turned intae a giant shadow and floated oot tae sea.

Terror flew through Tommy's blood and he knew he hid seen something evil. Very quickly he sobered up and ran awa frae the beach and made his wye hame. Aifter a guid sleep Tommy couldnae get ony peace for thinking upon the strange experience he hid. Could it jist hae bin an over active imagination and perhaps some o his pals hid slipped him a mickety boo in his drink and this wis jist a bad trip he hid teen.

In the late aifternoon Tommy wint doon tae the City library tae see if there wis sic a thing as a plague in Aiberdeen and tae his astonishment he found oot there really wis a great plague teen place in Aiberdeen in the sixteenth century.

It sae happened that Aiberdeen didnae hae the plague although it wis raging like a bull throughoot the land. There wis the death penalty if onybody crossed the barriers set up across the entrances tae the city and there were a puckle o gibbets set up aroon the toon.

Whit really shocked him wis tae find oot that a young woman frae Brechin hid came tae visit her sister and cos she couldnae get intae the city cos o the quarantine she sneaked right aroon and crossed ower the Don through the deid hours o the night. She brought wi her a deadly accomplice. Her companion came stealthily and cunningly ower the mooth o the Don. That companion wis the Plague. As Tommy read on he found oot that thousands o victims hid bin buried upon the Queens Links aa that many years ago.

Tae this day Tommy sweers an oath that he did get drunk at a pairty in Seaton and that he found himself aside the Don estuary and emphatically he believes he saw a re-enactment o the time whin the woman frae Brechin came ower the Don and brought wi her the ugliest disease ever tae come tae Aiberdeen.

THE SOULICKS

Awa hinnie back many years ago, at a time whin things were very difficult for folks biding in the Heilands o Scotland, there lived a man cawed Jake. Noo Jake hid a wife and three wee bairnies and they bade intae a cotter hoosie upon a bleak muir. The land wisnae in the least bit arable and very few crops grew there. A few neeps and kail grew and tae strengthen their diet the wife, wha wis cawed Lizzie, used tae search the heathery hills for edible roots and beets. They werenae awfie fine tae eat but at least they contained vitamins that helped tae supplement their diet.

Maistly everybody hid a coo cos if ye didnae hae a coo then yer chance o surviving the harsh bitter winters were very slim. Ye see wi the milk frae the coo ye could mak butter and cheese. The cheese ye hid tae mak aa o the simmer cos abody kens ye dinnae mak cheese in the winter, and that wis the food that really gave ye the strength to cairry on wi yer life. It wis a case o hard graft tae mak a living.

Lizzie wiz a hard-working cratur but she wis a seekly lass cos she suffered frae the galloping consumption and there wis nae cure for the disease. Even though her man Jake did try his best tae provide for his faimily, he couldnae mak his wife better. Each day the lassie jist coughed and hosted the hale day lang. She didnae gang tae her bed cos she kent that she needed tae look aifter her wee yins. Wee Jamie wis a healthy sturdy bairn and so wis Annie but wee Andra wis a seekly looking bairnie and he hid contracted the same disease o his mither cos the consumption wis very smittin. The bairnie only hid the disease in the first stages, so wi right looking aifter he could get ower it, but for the mither it wis too late. Her baith lungs were full o fluid and she found it hard tae draw her breath.

Then came the day whin Lizzie couldnae tak her heid aff the pillow and she kent hersel that the grim reaper wis at hand. Lizzie cawed Jake tae her bedside and she telt him that her time hid come and that she hid her fareweel message tae gie him. "Noo, Jake, promise me that ye will get mairried right awa sae that mi bairnies will hae a mither tae look aifter them. Mairry a guid Christian lassie wha can say her prayers by night and work a full day's work. Dinnae mairry a peelie wallie lassie cos she winnae hae the stamina tae provide for mi wee yins but get a strang buxum deem wha can dae everything. Maistly, Jake, sweer tae me an oath that ye winnae ever again dabble intae the Black Airts and dinnae gang tae the isle o the Soulicks. Remember, ye used tae dabble intae the Black Airt before I mairried ye, but me being a Christian got ye tae stop it. Promise me that ye will always love mi bairnies and look aifter them weel. Gie mi yer solemn vow ontae mi dying bed and I will rest in peace."

Jake, wi a saut tear in his een, maks his promise tae her. "I sweer wi aa that I hud sacred tae keep mi word tae ye."

Nae lang aifter that Lizzie died and she wis buried wi much haste. Aboot a week later Jake mairried a big bonnie lassie cawed Teenie and she could cook, bake, knit and sew and she wis a right guid Christian quine as weel. Tae gie honour whar it's due and shame the auld deevil, Teenie wis worth her weight in gowd and a braw wife tae ony man. Noo Jake made a guid wise choice for a wife and Teenie complemented her man right weel. She cooked, cleaned and worked aa the hours that the Lord sent. Indeed she wis a tireless worker. Whit a really guid step-mither she wis cos she wis able tae provide for the wee yins and Andra wis beginning tae pick up real weel. She loved the wee bairnies and she showered them wi kindness and she wid tell them stories in their beds at night and she aye gaed them hot gruel at night. Like her predecessor, Teenie kent how tae hunt for roots and beets alang wi ither wild unknown herbs. Naething wis wasted. Her cheeses were augmenting, for she hid made aboot four big kebbocks. There were nae complaints frae Jake on the wye Teenie kept her household. Jist whin everything wis gang sae fine, a tragedy teen place. It may nae sound like a tragedy tae folks wha hae everything at hand but tae a peer Hielan faimily it wis a great commotion. The coo turned awfie seek and it couldnae rise up ontae its feet. They werenae able tae get ony milk and that wis fatal cos withoot the milk they could-nae mak the kebbocks o cheese tae sustain them during the bitter winter. It wis only early simmer and there wisnae enough cheese made tae last oot the lang dark cauld season.

Whit a panic aabody wis in. The auld wifie wha used tae act as vet tae folks came in by and she telt them that the coo wis gan tae die and there wis naething that she could dae tae prevent it. Whit were they gan tae dae, for it wis noo a right difficult pickle they were in.

Jake realised there wisnae muckle he could dae tae alleviate the situation, so he decided that he wid hae tae dabble again intae the Black Airt, even if it wis brakin the solemn oath tae his dying wife Lizzie. Whit else could he dae? He didnae hae a wing nor a roost tae bless himsel wi. Aa his wealth amounted tae one measlie groat and that wis worth aboot fourpence. Withoot consulting Teenie, Jake decided tae gang and see the auld speywife wha could gie him access tae the Isle o the Soulicks. The Soulicks were evil departed deid, wha hid selt their souls tae Auld Cloven Hoddie for the material things o the world, or for power, but whin they left this world they were trapped on the Isle o the Soulicks, where they still desired the souls o the living. Jake whin he wis younger aye dabbled wi the Black Airt and noo he wis trying his hand again wi them.

The Isle o the Soulicks wis situated intae a black loch and the waater wis deep dark and dreary. Tae get permission tae gang tae the isle ye hid tae gang through the auld spey wife wha bade in a cottage at the loch side. Jake telt Teenie that he wis gang awa tae see if he could maybe dae some hunting or fishing tae try and get meat for them, so he bade Teenie fareweel and teen the three day journey up tae the auld spey wife. His feet were bonnie and sair wi the lang tramp, but Jake kent there wis nae alternative. This wis his last resort. He needed the coo tae get better or his wee yin might perrish during the winter.

At lang last he reached the spey wife's hoose and she speired tae Jake, "It's a lang time, Jake, since ye hae visited me, laddie. Whit ails ye noo?"

"Weel, it's mi coo. She's gan tae die if I dinnae get help, so I need tae gang ower tae see the Soulicks tae mak me a bargain wi them."

"Weel, the Soulicks winnae be too pleased tae see ye, cos ye hinnae served them for a lang time, but there's the boat ootside, awa and row ower tae them."

Jake gangs ootside tae the rowing boat and rows awa right intae the heart o the loch whar the isle lay. On reaching the isle Jake started tae walk aboot and the Soulicks started tae come towards him. They were shapeless creatures and they hidnae a soul. Een o them says tae Jake,

"It's a lang time since ye visited wi us, so whit dae ye want?"

Jake replied, "I'm in an awfie pickle and I cannae seem tae dae onything tae help mi predicament."

"Whit wye can we help ye, Jake?" the Soulick asked.

"Weel ye see, it's mi milking coo wha's very ill and I think she is gang tae die and I cannae be withoot a coo or wi might aa perish during the lang hard winter."

"Ye ask us a favour but whit hae ye got in turn for us?"

He replied, "I hae got a groat."

"A groat is nae use tae us. We can help ye aaright but it will cost ye a lot mair," replied the Soulick.

"Then whit dae ye expect o me?" Jake asked.

"Gie us een o yer bairnie's souls and that will dae us. Aifter aa, ye hae three wee yins so gieing us yin winnae mak muckle difference tae ye. Whin ye gang hame look at which o the wee yins ye are gan tae gie us and, whin ye hae made yer choice, I want ye tae look intae the bairnie's een and it will sneeze, but on nae account say 'God bless ye'. Whin ye dae that the coo will let an unearthly roar. Dae that three times and yer coo will be aaright again and we will come for the soul o the wee bairnie that ye hae picked."

It was an awfie hard thing tae ask, but Jake wis

desperate and he thought that is wis better tae sac-
rifice a bairnie so that the ithers might live. "Weel, I
will mak the bargain wi ye and I will gie a wee yin
in return for the health o the coo."

The journey hame wis a lang wearisome yin and
Jake's heart wis heavy cos he kent that he wid hae
tae pick oot a bairnie tae pay the Soulicks. Whin he
opened the door o his cottage he found oot that his
wife Teenie wisnae at hame but there wis food in
the fireside and the hoose wis clean and warm and
tae his surprise aa the wee yins were in their beds
sleeping. This wis a fine chance tae pit intae prac-
tice his work o the black airt. He looked at aa his
bairnies tae mak the choice o whit yin tae pick.
Jamie and Annie were fine healthy bairnies but
Andra wis a seekly yin and even though Teenie's
guid attention wis making him stronger each day
Andra seemed tae be the main choice. Aifter aa he
wis a weakly thing. It wis noo or never. Jake wint
right ower tae wee Andra's cot and looked fair
intae the bairnies een and the wee thing sneezed
but Jake didnae say 'God bless ye'. The coo let oot
a huge roar. That wis eence. Aboot an oor later
Jake looked intae Andra's een and again the wee
yin sneezed and a dead silence wint aroon the
room and the big coo let oot a thunderous roar.
That wis twice.

Jake kent that he hid tae dae it a third time and
his conscience wis hurting him because he minded
upon his oath tae his deid wife Lizzie and how he
swore tae protect her bairnies and for him nae tae
deal intae the Black Airt. Aa these things were gang

through his mind but Jake wis adamant in his decision. He hesitated nae langer and a third time he wint up tae the crib whar Andra lay and for the last time looked intae the wee bairnie's een. The wee yin sneezed and jist wi that, Teenie came in the door and she heard wee Andra sneeze and shouted oot, "God bless ye, bairnie!" The spell wis broken and jist wi that the coo let oot anither roar and then it drapped doon stone deid.

Jake wis annoyed wi Teenie coming in and braking the spell. Noo the coo wis deid and they were in a bad mess.

GOD BLESS YE, BAIRNIE

"Whar aboot hae ye bin, woman?" he snarled.

Teenie wisnae a saft mark and she widnae tak ony lip frae him. "Weel, man, rather and sit aboot wi a face on mi like a fiddle I thought that I wid dae something aboot oor plight. I wint roon aa mi freens frae the church and I collected enough money tae buy a new milking coo."

Jake wis flabbergasted. "Ye mean ye actually got anither milking coo for us?"

"Hey man, I'm nae jist a pretty face ye ken, cos I dae hae some gumption aboot mi. Mi mither didnae bring mi up tae be a useless ornament. I am weel organised even if ye are nae, so awa an nae bother mi ony mair, or I might jist forget that I am a lady."

Weel, Jake hid tae admit that he hid a right thrifty and clever wife. The day hid bin saved and so wis the life and soul o wee Andra. Later that evening, Jake wint oot for a walk and awa in the distance he spied the ghost o his late wife Lizzie and upon him she smiled grimly.

Fear gripped at his heart.

"Jake, O Jake, ye hae broken yer promise tae me frae mi very death bed and ye hae dealt wi the black airt against aa mi warning and tae mak things even worse, ye were willing tae sacrifice the soul o mi wee Andra. Teenie is far too guid for ye. She loves mi wee yins and looks aifter them weel. Yet ye wid hae gaed wee Andra tae the Soulicks. That wid never of happened cos I kent whit wis gan on and if mi wee bairnie died then I wis ready here tae tak his soul awa tae paradise wi me. The Soulicks wid never have hae gotten ony o mine. Noo if ye ever deal again wi the Soulicks then I sweer an oath tae ye that I will come and take ye awa and pit ye intae the gates of Hell whar ye will belang if ye dinnae change yer evil wyes."

Jake repented sairly and begged his deid wife's pardon.

Frae that time on Jake turned over a new leaf and he became a guid faither and wi Teenie's help, a guid provider for his faimily. Nae mair did he ever again deal wi the Black Airt.

RETRIBUTION

Secluded in a lonely lane the auld tenement hoose looked awfie lonely on its ain. Many a year hid passed since it really stood in its glory and noo it was almost gan intae a state o delapidation wi only three tenents biding intae it. Twa o these were young couples but up intae the top rooms bade auld Mrs Matheson. She hid bade there aa o her life and noo in her twilight years she didnae want the upheavel o shifting onywhere else. The auld tenement held many bonnie memories for her and she personally didnae see ony difference in it.

Visitors tae her were few and far between. Maist o her relatives imigrated awa tae Canada, but she got a letter every week withoot fail frae a nephew. Her sight wis almost gone and she couldnae really leave her twa top rooms o the tenement cos she wis a peer thing, wi the arthritis gieing her a lot o pain. A wifie frae Meals on Wheels aye cawed in every day tae see that she got fed and her pension and things were looked aifter by a cleaning home help. She used a commode cos she couldnae negotiate the stairs in the landing but she did try tae dae her best wi the faculties that she hid. Mind ye, the yuppie neighbours wid caw in occasionally tae see if she needed onything. Mrs Matheson liked tae listen tae her radio cos she hid guid hearing for aa that. If she listened carefully at night she wis able tae hear the traffic frae the busy streets nae that far awa. The middle o the toon wis only aboot three hundred yards awa.

Noo there wis an insurance laddie, aboot twenty years of age, aye cawed in by on a Friday tae collect twenty-five shillings for her insurance premiums and he jist hated walking that few hundred yards roon tae collect the auld woman's money. He wid think tae himself, "Why does she nae pay her insurance through direct debit or something, cos it wid save me the bother o coming aa the wye roon here."

Of course the auld woman didnae ken o modern wyes and she liked meeting the laddie every Friday. Tae him it wis a scunner. Even worse wis the tea that she aye gaed him and an iced bun. It nearly choked him cos he didnae like the mochy auld smell inside the hoose. Right enough, he wid pit on a pleasant insurance man's smile, but underneath he wis venomous. As he smiled at her he wid say tae himsel, "Whit is the likes o ye daeing living sae lang, could ye nae tak voluntary euthanasia. Ye wid dac the world a favour."

Yet she aye enjoyed his visit even though it never lasted mair than five minutes. Sometimes she wid show him her letters frae Canada and he wid look interested but underneath, he loathed the auld woman. Whin he used tae come oot o the hoose he wid pit a mint intae his mooth tae tak awa the taste o the tea. Aye, visiting Mrs Matheson was fairly a chore for him.

Een night, Ronald, for that wis his first name, got a bittie tipsy and he deen a really bad thing, for during his drunkeness he decided tae gang roon tae the auld woman's hoose and try tae scare her. It wis jist for coorseness. Weel, he wint up tae the tenement quietly and he started tapping at the auld woman's door. He kent the auld woman wis in a slumber and she wis an awfie light sleeper. Trembling she awoke up and she whispered oot, "Wha's that at mi door?"

Then Ronald replied wi an awfie horrible growling sound and he made it real loud. Ronald could recognise that the auld woman wis panicking and he should hae hid the sense tae stop himsel.

Wi aa the noise a neighbour started tae rouse up, cos it wis lang aifter midnight, but Ronald wis quick aff his mark. He made a last creepy growl and he flung himsel right doon the banisters. They were highly polished and he slid doon wi great speed. As he opened the ootside door tae flee intae the darkness o the night he got himsel a great shock. Ye see, there wis a huge man aboot seven feet standing right ootside o the front door beside the bushes and he wis wearing a lang black trench coat and a soft felt hat. His face wis really ugly and yet even though it wis a dark night, Ronald could see him as clear as onything. This huge man grabbed hud o Ronald by the shooders and growled creepily, "Whit mischief hae ye bin up tae?"

Ronald near jawlocked wi the fleg that he got and wrestled himsel frae the man's grasp. Whinever he wis doon on his feet he fled like the living wind. Wha on earth wis he? He looked like something oot o a horror film. Ronnie sobered up very quickly and ran as fast as his feet could cairry him tae his ain flat. At last he wis safe cos anither fella shared his flat. The ither lad wis sound asleep and Ronnie didnae disturb him either. Instead he wint ben tae his ain room and the sweat wis drapping aff him in big draps. A whilie passed afore he could compose himself. Eventually he fell asleep. A feeling o shame wis upon him and he realised whit a silly prank he hid played on the auld woman. Still he didnae like the auld woman so why should he gee his ginger about her. The mannie at the door wis mair o a worry tae him.

During the night Ronnie awoke up and the shadows in the room were very fearsome. As he looked at een corner o the room he saw the same tall eerie man grimly smiling at him. He seemed tae be making a growly noise and the fright wis too much for Ronald — he let oot a banshee howl. Wi sic a shrill scream gan oot the room, it wis enough tae waken up the hale hoose. Whin his mate came ben and pit on the light there wis naebody there. "Ye shouldnae eat afore gang tae yer bed at night cos ye hiv jist hid a nightmare," said the mate.

Ronald kent in his heart that it wis nae nightmare, instead it wis a strange visitation frae some sort o unatural being. The man wis mair a ghost than a person. Everytime Ronald wint tae dae onything he aye felt the man's presence near him and he sort o aye caught a quick glimpse o him wi the corner o his eye.

On the Friday Ronnie felt a deep fear and shame whin he wint tae collect the twenty-five shilling frae the auld woman. He felt his face wis red wi embarrassment. Weel, wid ye believe it. The auld woman hid died and neighbours were telling him aa aboot it. They telt him that they aa thought that they heard a prowler on the stairs een night and oddly enough that wis the time when the auld woman died.

Ronnie wis even worse noo than he wis before. Perhaps his stupid prank did shift the auld woman's heart. O how he wished he hidnae deen sic a stupid thing.

Still he felt the ugly man's presence and it feared Ronald. Still he kept haeing terrible nightmares. His nerves were noo brakin. Then he got a note frae a solicitor tae come and see him. Ronnie wondered why a solicitor wanted tae see him cos he had nae dealings wi the legal profession. Then the maist fearsome thought crossed his mind — perhaps somebody hid spotted him and he wis gang tae get quizzed by this solicitor. Maybe he wis a police lawyer or something connected wi the law. As he dragged himsel alang the road tae the solicitor's office he thought that the big man wis following.

At last he arrived at the office and he wis sort o making up an alibi in case he wis questioned aboot the auld woman. Weel, the solicitor's first words tae him were,

"Did you know an auld woman cawed Mrs Matheson?"

His jaws dropped cos he kent he wis found oot. This wis noo big trouble.¹ Speaking very quietly he admitted he kent the auld woman.

"Weel, ye see Mrs Matheson was a woman of much property and she hid a large estate. She left a will naming her nephew in Canada as her heir but she mentioned you in her will. She made you a provision of two thousand pounds, since she said ye were a very friendly young man and that ye always spoke very kindly tae her and often she could tell ye things. Mrs Matheson thought very highly of you."

Wi his mooth agape Ronnie wis completely bowled ower. The solicitor gave him a cheque for two thousand pounds and Ronald left the office in a stupor. His mates couldnae believe it. Maist of aa

Ronnie wis amazed. Aifter aa the wicked thoughts he hid aboot the auld woman and his coorse action tae her, she hid left him a guid skelp o money.

Noo Ronnie did feel black burning shame for whit he hid deen. It couldnae be rectified neither could he thank the auld woman. At least he could pit a floor on her grave occasionally.

Time passed and Ronald began tae feel a bit better than he hid and he wis jist aboot getting ower his nerves whin een night he awoke and his room felt ablaze wi light. He wis terrified, cos standing in the middle o his room wis the huge ugly man wi the black trench coat and soft hat. He wis grimly smiling down upon Ronald.

"Wha are ye? Whit dae ye want o me?"

He replied, "Indeed I will tell ye. Ye see, I wis that auld woman's guardian angel and it wis my job tae guard and keep watch over her. The only time I ever left her tae hersel wis the time ye came up tae scare her. She should hae bin safe through the night but ye changed that. The fright that ye gade her cost her the price o her life. Ye are responsible for her death and although ye never actually struck the blow ye nevertheless caused her heart tae stop."

Ronald bitterly cried, "I am very sorry and I wish I could undae the damage I hae deen."

"I ken ye are sorry. Ye see whin she died I then became the angel o retribution and I must reap revenge on ye but if ye repent then I may stop my persecution o ye."

"Believe me, I dae repent o mi evil deed. It wis only meant as a prank."

"Ye didnae deserve the auld woman's love at all, but she gave it tae ye withoot ony conditions. I ken that she is happier noo and she widnae hud onything against ye. If ye place a bunch o floors on her grave every month then I winnae bother or frighten ye nae mair, but if ye brak the conditions then I will return wi a real vengeance."

"I promise that I will never be coorse again taewards ony ither auld person and I will pit the floors on her grave every month."

The angel o retribution wint awa and frae that time onwards Ronald never wis unkind tae an auld person. He kept his promise and pit floors ontae the auld woman's grave. Wi the money he received he started a wee business and became a successful man, but he niver liked trench coats, and soft hats aye made Ronald awfie edgy.

THE GHOST OF MABERLEY STREET

Getting a hoose in 1952 wisnae an easy thing cos hooses were very scarce, so wi the actual prospect o getting een Madge and Steve were very happy. Steve hid a guid job as a manager o a cleaning company and Madge wis an usherette in an Aiberdeen cinema and atween the twa they saved really hard for tae pit ower a really swell wedding and gang for a honeymoon intae the border country. Tae maybe get a hoose as weel showed that guid fortune wis definitely smiling doon upon them. Madge and Steve wint tae see the mannie that owned the hooses and for a twenty five pound bribe got the keys o a hoose. The rent wis fairly high but it did mean they could get a right start tae life. They were pretty reasonably weel aff and were nae exactly wanting upon the price o their supper.

It wis an auld flat aff o George Street beside a pub. There wis a wee lane and ye jist nipped roon the back o the hoose and up an open iron staircase and it teen ye intae a twa-roomed flat. Tae the young couple it wis sheer paradise and they were the envy o many anither young couple wha usually hid tae bide wi their folks until they hid a faimily afore the council gaed them a hoose. But Steve and Madge didnae let the grass grow under their feet and they were baith very enterprising young folks, so Steve got a freen tae help him decorate and modernise the flat tae bring it up tae their standard. Everything wint weel for them. Firstly the wedding, then the honeymoon and noo tae come back tae their ain lovely flat that contained some really bonnie furniture o the time.

The young couple hid jist came hame frae their honeymoon and settled intae their flat and they thocht that everything wid be jist honkie dorrie, but it wisnae. Frae day one Madge felt somehow she wis an intruder in her ain flat and oddly Steve aye felt that there wis anither presence in the hoose. It wis kind o eerie whin Madge used tae come hame frae working in the cinema and walking alang George Street tae the wee lane whar she bade.

The front o the hoose wis aaright but it wis whinever ye wint roon the back and started tae climb the iron stair that she wid get the wind up. She aye felt that somebody wis trying tae push her aff the metal steps and mak her hae an accident. Gang up the stairs she thocht she heard a deep, menacing female voice spik tae her in a impudent fashion.

Noo Madge wis a sweet natured lassie and wis never cheeky but she aye felt this unseen woman snooping nearby. Even inside the flat, plates aye broke and plaques fell aff the waas. In only a week nearly aa her bonnie dinner set wis broken. Steve telt her it wis jist post nuptial nerves, but Madge seemed tae sense something wisnae completely right aboot the place.

One night Madge wis asleep in her bed whin Steve came hame late. He wis a wee bittie boozie but naething tae spik aboot. He came intae his bed and he lit up a fag. Madge sat up in bed wi her een staring oot her heid and her face deid pan, but she said naething.

"Wid ye like a fag, Madge?" he asked.

Then a horrible voice come oot o Madge's mooth,

"Madge—Madge—I'm nae Madge. This is Janet spiking."

Steve wis teen aback and he looked wi his mooth agape. It teen him a few seconds tae get ower the initial shock. Then he took her by the shooders and shook the living daylights oot o her until she cam oot o this trance and started to roar and greet.

"Tak yer hands aff o me, ye cruel brute. Wha dae ye think ye are, hitting me whin I wis in a deep sleep."

"But I'm nae hitting ye Madge, dearie. Ye spoke wi an evil tongue and some auld wifie cawed Janet came oot o ye."

"Awa ye go. I ken ye hae bin oot drinking wi yer scabby pals and noo ye are trying tae find faults wi mi. Men are aa the same. I should hae listened tae mi mither," she screamed.

"Dinnae be sully, woman. I'm nae drunk, and there definitely wis something very uncanny happened."

Madge turned aroon in her bed and she wint tae sleep withoot spiking tae Steve ony mair.

In the morning Steve hid to crawl tae her for forgiveness for the incident the night afore. It teen flowers and sweeties and an awfie lot of grovelling tae get back tae normal again. Things did gan back tae normal and everything seemed tae be gan aaricht again.

Een nicht Steve wisnae feeling aa that great and Madge wis working at the cinema and widnae be hame till aboot eleven o clock at night. He made himsel a toddie and wint tae his bed wi a hot water bottle cos it wis a cauld night and he thocht he wis coming doon wi the flu. The sweat wis braking aff him in dollops. His slumber wis very distorted and he had queer dreams. Whin he awoke up he wis lashing in sweat.

"Weel, the toddie seems tae hae helped me sweat it oot a bit," he thocht tae himsel.

Feeling very clammie and gan ower tae the windae tae let in a wee bittie fresh air, he couldnae help but notice that the place looked very deserted. The hooses ower the backie werenae the same and he felt as if he hid wint through a time warp. "I must be hallucinating," he said tae himself, "it's only the effects o the toddie and fever taegither."

Steve then dressed, walked doon the stair and wint roon tae the front o the hoose and doon the wee lane and honestly, he couldnae recognise the street. The lamps in the street were very dismal and dull and he couldnae even see a trace of the tramcar lines or the lights o the cinema where Madge worked.

"There's a reasonable explanation," he thought.

Gan back up the iron stairs tae his flat he could see that the metal looked a lot shinier. Hurrying back tae his room he wint intae his bed. Afore he closed his een Steve saa that his room looked different. He wis far too nae weel tae excite himsel ony further. As he lay in his bed an elderly woman came intae his room and she wore an auld black pinnie and her hair wis bound up wi twa large pigtails tied up at the back o her heid. She came richt ower tae Steve and said, "Ye'll be aaricht loonie. I'm here tae look aifter ye." Then she wint ower tae an auld fireside that Steve hid never seen afore and she lifted up a big pot and she teen oot soup and she pit it in a blue bowl.

"Tak this loonie, it will mak ye better."

The elderly woman began tae feed Steve wi the soup and it tasted sae fine, like auld fashioned soup

his grannie used tae mak. She wiped doon his brew wi a cauld damp cloth and she nursed him for ages. Steve kent that this wis jist a very realistic dream. She showed an awfie love tae Steve.

He closed his een and wis woken almost straight awa by Madge, complaining aboot some clattie mannie wha wis annoying lassies in the cinema and she hid tae throw him oot and ban him frae the cinema. Steve listened tae whit Madge wis saying but at the same time wis deeply concerned aboot his ain unusual experience.

The next morning at breakfast he telt Madge about his very realistic dream. Yet there wis still a funny strong smell of soup aa roon the hoose.

"The doonstairs neighbour must be making soup, cos it's savor is very strong," agreed Madge.

"I tell you Madge, that is the same soup the woman served mi wi last night in mi dream".

"Dinnae spik a load o dung, Steve. Yer getting dottled."

"But I saa a fireside ower in that side o the room," replied Steve. Madge wint ower tae the pairt o the waa and banged hard against it and behold there wis a hollow sound. "Ye may be richt Steve," she retorted. Steve wint ower tae the place and he chapped down a bittie of the waa and there really wis an auld fireplace boarded up and in the grate wis an auld pot. They were baith surprised. Investigating further, Steve found a wee painting o an awfie bonnie lassie. She resembled the auld woman he saa in his very realistic dream.

"I am gan wi this painting tae the auld mannie wha owns this property and see if he kens wha this is in the painting."

Later that day Steve did gan ower and showed the owner the painting o the bonnie lassie and speired tae him if he kent wha it wis. "Fine weel dae I ken wha this lassie is. It's mi ain mither, teen whin she wis a lassie. A German art student gaed it tae her for posing as his model."

Steve was intrigued by the auld man's revelation, especially whin the auld man wint on aboot how she hid stopped spiking tae him; cos whin he wis a laddie his mither hid fair doted upon him and aye tried tae mollicuddle him but he widane hae it. It wis jist smothering the laddie. She wis very jealous o ony lassie wha liked him. Then whin he got hitched tae a bonnie young lassie she wis furious.

She tried very hard tae mak the lassie's life miserable. Then it came tae a showdown and the fella picked his wife's pairt, which wis correct. The young couple left that hoose and moved intae a different property. It wis a big rift and it teen years tae heal. Frae that time the woman hated every lassie she seen, but she aye hid a saft spot for loons. Noo he felt as if the dream wis real.

The auld man telt him anither thing: Steve wisnae the first person to complain aboot hearing things and even experiencing ghostly happenings cos a lot o folks that were his tenants complained aboot things o that nature.

Madge, aifter hearing the story o the auld woman's dislike tae lassies, became very susceptible tae things that go bump in the night, but Steve never felt ony animosity taewards her.

Een day Madge wis telling a neighbour aboot the things gan bump in her hoose and aboot her dishes braking. She got an awfie surprise tae find oot aa the lassies in the hoose hid similiar experiences wi the supernatural. This neighbour laughed,

"Nearly aa the tenants hae seen the auld wifie and wi jist caw her *the ghost o Maberley Street*".

Madge and Steve bade intae that hoose for aboot five years and they hid hunders o encounters wi *the Ghost o Maberley Street*.

WEB OF SECRETS

Marla listened tae the foliage beneath her feet crin-
kle and mak sweet pleasant sounds as she ven-
tured through the trees. She loved bein close to
Nature. Frae her early schooldays in Malta she aye
followed flocks o birds and tried tae find oot their
secrets. The deeper she wint intae the wood the
darker the space aroon her became. Wee beams o

sunlight rays penetrated through the high canopy o the pine wood. Een were upon her frae every corner. Black een, brown een, slanted een, kindly een and evil een seemed to be watchin her every movement.

Solitude was a friend to Marla and she adored her special relationship with Mither Nature. The radiant colours o Autumn contrasted and danced afore her een and she felt at peace within her sowel. Her thochts wint back tae jist why was she here alane in a pine wood and she sat doon in a lotus position under a big conifer and meditated so that aa her fused thochts could unwind.

Alan Anderson wis strongly on her mind. He was a tall handsome medical student at Aberdeen University, wha cam fae a fine bourgeois family and never really hid tae try awfie hard for onything. If he needed onything then Daddy wid jist fit the bill.

Marla's folk were a hard working peasant stock, and they were honest and very religious. She kent whit it wis tae work intae the fields at an early age. It wis the Bishop that recognised her keen intelligence and hud her try for the Catholic Bursary.

It wis a great thrill for her tae be accepted intae Aiberdeen University tae study law. She wis the first of her faimily ever tae leave Malta and nae wye wis she gan tae disappoint her parents. Success was the aa important thing tae her and she tried richt weel.

Her English was awfie guid and she could speak fluently. Marla could cope wi the strain of University life cos she practised the auld arts of relaxation, which she learned frae her auld grandmither in Malta. Mony times whin she felt up tight she wid gae intae the woods to fin her inner self and gain solace.

Fate hid flung Marla and Alan taegither een nicht and they became good freens. Marla wis contented to be jist a freen, but Alan wanted a deeper relationship.

They hid ae great thing in common. They were baith very interested intae the ancient histories and customs. This meant they were able tae share their passion of ancient arts and civilizations. Alan wis perhaps mair intae the Occult and delved intae strange things, whilst Marla refrained frae the black practises and enjoyed dabbling intae ancient remedies and experimenting wi herbs. She hid mony books aboot herbs and their uses.

They hid a guid relationship until Alan asked Marla tae share his flat intae the city. The flat hid three bedrooms and there wis another student cawed Jonathan living there as weel. Jonathan wis also a medical student and Alan let him bide there free gratis and he wanted Marla tae dae the same. Alan telt her how comfortable it wid be and as she wid hae tae pay naething for her lodgings, things wid be financially beneficial for her. Richt enough, she wis paying through the nose for her accommodation in Aiberdeen and Alan's offer wid be able tae help her oot, but she was nae sure aboot her emotional status. Marla hid been clean living and brocht up in the faith and sleeping aroon wisnae her style. Alan promised that he widnae force her intae a sexual relationship until she felt ready tae cope wi it.

Financial pressure leaned upon her heavily, so Marla took Alan up on his offer.

It wis mid Summer whin she moved intae Alan's flat and she hid a lovely wee room tae hersel wi plenty o cupboard space for her mony books and ither private things that she kept. Marla wis quite happy with the arrangement and she got on awfie weel wi Jonathan. He wis a strange kettle o fish and he seemed tae be intae light drugs. Marla didnae like the idea o drugs but Alan assured her that nearly aa the students delved intae the light stuff for kicks. It wis supposed tae be a wye o helping ye unwind aifter a strenuous day.

Marla telt them that she practised the Art o Relaxation withoot the use of ony form o stimulant or depressant. Weel they niver tried tae tempt her wi the stuff and she kept hersel unspotted wi these things.

In jist a few weeks Marla did faa in love wi Alan and a relationship blossomed mair deeply. It felt guid and Marla soon adapted tae sleeping wi Alan and the future looked rosy for them both.

Alan wis also quite talented wi his hands and he could dae weel at drawing and painting. Aye day he got an auld Queen Anne Ball and Claw table and he completely restored it back tae its former glory. Tae crown it aa he painted a hexagon ontae it and covered the edges wi Runic sign symbols. Eventually he painted it wi marvellous colours and converted it intae a Ouija Board.

Aabody wis thrilled at the finished article and it wis a maist splendid piece o furniture. Even Marla liked the Board on the table. It seemed tae hae a magnetic pull tae it as if it wis beckoning the watcher tae try it oot. It wis nae sooner finished whin aabody hid a play wi it.

The lights were dimmed and the three friends sat in the room and spoke tae the Ouija Board and speired funny questions. The board responded by shifting their hands wi the pointer tae the various letters o the alphabet and replying tae the questions. It wis hysterical for them and they hid tremendous fun playing wi it.

It then lay in the hoose for aboot three weeks and it wis constantly played wi.

Een late evening Alan and Marla hid come hame frae a disco in the toon. Alan hid hud a few too mony but Marla wis sober. The first thing he did wis take oot the Ouija Board and ask questions. Somehow the board hid something sinister tae offer. A force seemed tae be emanating frae it and a pale blue smoke arose frae the centre o the board. Then, tae their horror, an auld witch appeared frae oot o the board alang wi an ancient warrior. An awfie reek rin roon the room and Alan looked amazed while Marla shuddered. The witch identified hersel as a twelfth century crone fa's name wis Aicca and she hid been burned at the stake sic a lang time ago, but now wis the keeper of the Vault. The warrior said that his name wis Ormon and he hid been killed in the crusades centuries ago as weel. He telt them that he wis the Maister o the Gate. Noo they hid foond their wye through they wid baith help Marla and Alan wi their tasks here on the Earth in modern times. They were free and they hid much tae catch up wi. Soon they disappeared back intae the Ouija Board.

The young couple couldnae believe whit they witnessed. Marla wis excited but feart. Alan wis delighted that he hid made a breakthrough tae the ither world. They telt Jonathan wha widnae believe them. He rationalised it doon tae drinking or drugs. The couple baith swore an oath that it really happened and that a manifestation hid teen place.

The Ouija board grew stronger and stronger and the twa beings appeared mair and mair. At first they telt Alan and Marla little things that they should dae tae better their lives, but then they started tae gie them sinister advice. Noo it sae happened that these manifestations niver appeared whin Jonathan wis present. Marla wis excited by the events o the Ouija board but she wis a bittie feart o it.

Alan loved every minute o it. He listened carefully tae what Aicca or Orman wid say. He wis faaing under their magic spell.

Aye evening Jonathan got drunk and lay upon the floor of his room. Alan and Marla were haeing a wee something tae eat whin oot o the blue Aicca and Orman appeared aside them.

Aicca said tae Alan, "Ye will niver ken the pure delights o the mystic until ye hae killed somebody."

Alan wis flabbergasted. Orman then said tae Alan, "Kill the infidel wha lies drunk next door by cutting aff his heid. This act will mak ye strong and ye will hae great knowledge."

Marla turned pure white wi horror.

Alan replied tae them, "Jonathan is mi freen — I cannae hurt him."

"Ye are far too weak tae become powerful like us," growled the warrior.

Aicca added, "We are weak noo, but each day we will return." They vanished. Marla screamed tae Alan, "Ye maun stop this evil at eence." Alan wis excited and wanted tae keep up wi the happenings of the Ouija.

"Ye must seek help frae the priest," Marla pleaded.

"I'm nae a Catholic so why should I need a priest," snorted Alan.

"I'm gan richt noo, and I will niver return tae this hoose again. Ye are being possessed wi evil and ye cannae see it." And Marla wint tae pack her things.

"Aaricht, I will gang wi ye tae see a priest," cried Alan.

Baith wint roon tae see the priest at his hame

and telt him o the events that hid bin happening tae them. Faither Donald wis a burly, kindly mannie, wha listened wi great intent tae whit the young couple were saying.

He could see that the couple were deeply disturbed and he kent the dangers of tampering wi the occult.

"It's quite obvious that ye hae made a gateway for these evil beings. By constantly attracting yersels tae them ye hae made it too easy fae them tae grow muckle strang. They cannae be granted powers on Earth. If ye hid deen as they bid, then ye wid hae lost yer ain sowels in order that they may become powerful again," said the priest.

"Then what must we do, Faither?" cried Marla. "We shall be obedient tae whit ye tell us. Instruct us now," begged Marla.

"Mony people delve intae the occult tae find oot wee trifles and they faa intae the great web o secrets. The web is like gossamer but the spider's venom is deadly. Leave the mysteries o the occult alane and completely destroy the Ouija board. Ye hae made a gateway tae Hell and soon these dire evil creatures alang wi ithers will frequent yer hame. They will be powerful enough so that they will hae nae need for the board tae come through, and soon they will destroy ye baith," said the Priest.

Alan quietly says, "It is a beautiful work o art. The table is awfie valuable and I spent a lot o time and effort preparing it."

"Guid grief, son, yer sowel is mair important

than the table. Yet it is nae the table that's evil but the occult marking ye hae pit ontae it. Destroy only the markings and leave it as a table. But I cannae stress too strongly that if ye dinnae dae as I say then ye will be too late. Destroy the Ouija noo." Aifter the priest spake Marla and Alan thanked him for his council. They swore a vow that they wid destroy the table that very night. Later whin they got hame Alan wint tae his tool box and he took oot his Jack plane and started tae plane awa at the markings upon the table. As he wis planing, Aicca appeared and screamed at him furiously,

"Dinnae be a fool and gie up the knowledge that men seek for through the centuries".

Orman cam oot wi her and he started tae plead

wi Alan. "It is that woman wha is wi ye. She is evil. She disnae want ye tae find oot the secrets o the underworld that will mak ye maist powerful."

Their rantings made Alan stop. He wis being now possessed by their dire evil.

"Dinnae stop," shouted Marla, "they are deceiving ye and will lead ye tae yer destruction."

"Kill her, kill her," they screamed in anger.

Alan wint ower tae Marla and hit her on the face and he struck her again.

"Please, Alan, ye are under their evil influence! Stop, stop," she cried.

Jist by pure luck, Jonathan wis recovering frae his drunken stupor and he heard the screams of Marla and rushed through in time tae tak Alan frae hitting Marla ony mair. Then for the first time he seen the evil Pair beside the table.

"Destroy the table!" Jonathan wis a strong lad and he kicked the table in half and he broke every bit o it. Aicca and Ormon vanished again. Then Jonathan took aa the pieces of the table and he burned them. Strange noises and screams could be heard as the pieces burned in the fire. Alan came back tae himsel but Marla wis muckle feart o him. "Forgive me, Marla, I didnae ken fit I wis daeing," Alan pleaded. It wis a terrible nicht and Marla telt Jonathan the hale story. He wis sympathetic taewards them, but telt Alan whit a fool he hid bin.

Yet as the days passed by the room still hid an eerie atmosphere aboot it. Marla couldnae pinpoint it. Somehow Alan wis awfie sullen and his look wis different. The table hid bin destroyed but there still wis a mochy air o evil aboot the place.

Aboot a week later Alan wis in a real foul mood and he wis swearing terrible and irritable over the least thing. Marla's nerves were on edge and a row brake oot atween them. She wint tae her bed. During the nicht she awoke and then she saw Aicca in the room.

"Ye thocht ye hid got rid of me, dearie, but ye see I still hae a gateway through Alan. He is the medium by which I come through. Soon he will dae as I bid and he will kill ye." She vanished with screeches of vile laughter.

This wisnae a dream. Marla awoke Alan and she hid a great row wi him.

"Why are ye still dabbling wi the occult?" shouted Marla.

"I'm nae dabbling wi naething," he replied.

"Then how could Aicca come through again? She telt me that ye were her means by which she can still come through."

"I'm innocent this time. Maybe it's yer imagination playing tricks."

Marla cried, "Let's gan back tae the priest and see whit he his tae say."

Early next morning they baith wint tae see the priest wha again listened earnestly tae their story.

"And ye destroyed the table as I hid telt ye tae dae?" asked the priest.

"Yes we did," they baith replied.

"Then for the life of me, I cannae understand how they hid the power tae return. Did ye mak a duplicate of the ouija?" asked the priest.

Alan stopped for a moment. He took oot his wallet and he produced a photograph. It wis the finished table. The priest hid niver seen sic a beautiful object. Its colours were fantastic and it wis indeed a maist beautiful article.

"That's it!" cried the priest. "Ye hae kept this photo on ycr posscssion, so it wis a direct gateway tae Hell."

"Gie it tae me and I will destroy it so that naebody will find its strange passageway again."

Alan felt a sense of relief come over him. Whin they wint hame the evil feeling wis gan. The hoose hid a kindly feeling tae it. Order eence mair hid returned.

Marla hid reflected enough on her thochts tae decide tae gae hame wi her sweetheart. It hid felt guid tae contemplate amang Nature.

Noo wi the dire evil behind them they baith could settle doon tae their studies. Their lives were good taegither and they hoped tae marry some day. Late een evening Marla wis cleaning oot a lot o papers and things and she threw oot a load o rubbish frae the flat.

"I'll nae keep silly auld things ony longer and I'll try tae appreciate modern things," she thocht tae hersel. So, wi aa the stuff in the bucket Marla resolved tae become more futuristic minded.

Amangst the rubbish wis a roll o negatives. A young loon passing by picked them up. He wis muckle interested in photography. He wid develop the negatives in his private darkroom. The photographs might prove tae be interesting.

Indeed they wid — because een of the negatives held the photograph of the Ouija board...

SPOOKY EXPERIENCES

Some folks dinnae believe in ghosts or things that gang bump in the night and I suppose it is hard for them tae come tae terms wi the idea. But if ye hae hid spooky experiences then ye tak a different view and that's the wye o it wi masel.

I hae hid hundreds o ghostly happenings and nae only in Scotland but in various pairts o the globe. Fit I wid like tae dae is tae share some o the creepy experiences and jist let ye ponder upon the words for yersels. Some folks might think that I am a bit o a gomeral and ithers may believe in the events that teen place, but as far as I am concerned, the events that I am aboot tae tell ye are things that truly happened.

Being a psychic, I am often called upon tae share some o mi knowledge wi ithers and I tell folks whit I feel aboot their hooses and things. There's a built-in mechanism inside me that jist tells me exactly whit is whit. Maybe aabody his this mechanism tae some degree, but I seem tae hae hid it strangly aa mi life and it is sometimes a sair thing tae come tae terms wi. Folks that are psychic ken fine whit I am speaking aboot, but tae novices then perhaps ye will een day hae yer very ain ghostly happenings. So jist keep an open mind as I relate tae ye een or twa o mi true life stories...

HALLOWEEN

Whin I wis asked een time by a big hotel tae come down and dae an evening o haunted stories, I said I wid. Noo the hotel wis built near the ruins o an auld castle, but I hid never bin at it in mi life afore. I winnae tell ye the name o the hotel cos ye hiv tae respect people's privacy but I can tell ye the events o the night. Mi wife, wha is blin, cam oot wi mi tae the hotel. Noo the BBC and the local radio also got wind o the adventure and they also decided tae cam oot and follow through the nichts proceedings. Ither media got involved and in a wye, it wis becoming a wee bit o a fairlie. The papers cawed me a ghost buster and pit in the ugliest photo o mi they could possibly find and I really mean it wisnae in the least bit flattering. I seemed tae look very black and ominous, and it wid appear I wis wearing a vampire's cloak and I wis mair like a ghoul than onything else.

Wi aa the publicity tae mak the evening a guid event, the folks came tae tak mi oot tae this bonnie hotel and drive us oot intae the country. Wi were made very welcome by the people wha owned the hotel. Unknown tae mi the hotel actually claimed it hid a real live ghost and that there wis a a special pairt o the big hoose hid secret panels and that wis whar the green lady that haunted the place wis supposed tae appear.

The place wis aa decorated for the special Halloween ghosty night and there wis things like folks hinging ontae trees as gallows and the waiters were dressed as werewolves and vampires. Creepy sepulchral music played at certain times and chandeliers kept lowering doon ontae the fleer. Yes indeed, the folks wha ran the hotel hid done a marvellous job at getting the place deen up like a Hollywood production. Everything wis splendidly deen and the food excellent, but given weird names for the nicht. There wis plenty tae eat and drink and the atmosphere wis beginning tae tak shape.

Aifter the meal the media wis mair interested in me taking them oot roon the hoose on a ghost hunt. I jist wint alang for the joke o the thing. Seemingly the place hid a wonderful and weird history but I wis completely oblivious tae ony knowledge o the place. Somehow if I tune masel intae something I am usually nae very far wrang. Firstly I led them roon the rooms and hallways but naething really got me stirred up very much. Of course libraries aye hae a special cauld aura but that's aff the books themsels. The strangest vibes I got wis whin I led the folks doonstairs and ootside tae a place like the auld stables and there wis a door at the corner o a waa. It seemed tae be a different atmosphere aa the gither so I telt the media folks wha were recording every word I wis saying for their programmes, that this door led tae the heart o the hale hoose. The presenters o the radios were asking mi queer questions and they were treating me as if I were some celebrity psychic although I wis only a peer fishworker involved wi something a bittie ower mi heid. I didnae feel aa that happy wi the affair. Nevertheless I spoke as best I could and I telt them whit mi vibes were telling me. Een o the reporters asked mi a really loaded question:

"Tell mi Stanley, whit kind o room is this and whit dae ye think happened here? Jist tell us aa the things ye feel."

Aye, that wis a tall order.

"Weel, laddie, this is the centre o aa the things that are gan on in this hoose. Behind this door lies a room whit is deeply disciplined. It feels as if an auld colonel bade in here. It his a very strang military feeling tae it. The vibes are masculine, but it is a woman's room."

The reporter asked, "Whit colours are maistly dominant?"

Withoot hesitating I replied, "It is a very military green wi some strang mahogany furniture mair suitable for a man." Wi that they folks opened the door. Whin the door wis opened I felt a scabby nausea cam ower mi. "This is a seek room. Somebody lay in here for eons," I uttered.

The room wis indeed very masculine wi heavy mahogany furnituire and the waas were deen up wi green MacKenzie tartan wallpaper. The room wis used by the auld owner o the hoose and she wis bedridden for donkeys o years and she bade intae this large mansion hoose her leaf alane. She hid een servant wha used tae gang hame every nicht and the auld cratur bade by herself for years and years. I felt a sense o sadness and a deep feeling o melancholy swept through mi soul.

Later, aifter the sensational ghost hunt and the interviews we settled doon tae an evening o storytelling. There wis a fair crowd there and the evening hid the makings o a guid nicht. Yet I could feel strange eerie undertones and subtle shades rinning through mi.

The story-telling pairt wis gan fine and I wis jist getting ontae mi steed whin a young man teen an eppie and ran oot screaming. I wis completely stumped by the incident but I supposed the laddie hid his ain reasons. I felt a wee bittie peeved aff by the incident but I sodjered on as best I could. Maist o aa I wis a professional storyteller and I didnae want tae loose mi grasp especially wi mi audience, but I wis loosing it a wee bit.

Later on I came back intae mi stride and aifter the session wis finished it wis aboot midnight o the Halloween. It wis a richt witchin hour. I spoke wi some folks wha were mair interested in mi reading their characters, and somebody asked mi tae read their fortunes but I telt them I hid strang religious convictions.

Aboot one o clock throught the nicht the only folks left were a couple o reporters and the residents o the hotel. Unaware o onything devious gan on I wis being set up at the same time by the media for a mair sinister event. I wis asked if wid bide aa the nicht intae the haunted room o the hotel up in the tower.

Cos I wis asked on the spur o the moment and nae wanting tae look like a cowardie custard I asked mi wife if she didnae mind sleeping the nicht intae the creepy haunted room. Johnann replied, "Remember that Samantha is getting blest the morrin and we need tae be hame by nine tae get tae the church."

Everybody agreed and a taxi wid be waiting for us in the early scrieks o the morning. Noo I really hid misgivings aboot this venture for perhaps twa guid reasons. Firstly cos being a diabetic I didnae hae nae drugs wi mi and secondly cos its nae guid tae deliberately tamper wi things ye ken naething aboot. Weel the folks ushered us up tae a beautiful room in which there were twa single wicker beds. I wis tae tell the media in the morning aa the experiences I hid through the nicht and tae dae an exclusive Halloween ghost programme wi them.

Whin we were left alane I looked roon the room and I saa the many panels, so I immediately made sure that chairs were jammed against them in case maybe somebody come intae yer room through the nicht and gie ye sic a fleg that yer heart micht stop. I'm nae brave and I dinnae deliberately encourage these kind o things. Johnann wis very calm and only stated that wi sleep in the een bed cos she wisnae sleeping by hersel in a wicker bed. So we baith bunched up taegither intae the een single bed. I secured the windaes and made sure if there wis onything coming through the panels that it wid be ghosts. It wis the real folks I wis mair flegged o. Mi wife jist said tae mi — and I thought it wis funny, "Weel, if there are ony spookies in here then I winnae see them cos I dinnae see onything."

Whin we pit oot the licht it wis as dark as a dungeon and the atmosphere wis very creepy and personally I completely switched mi psychic powers aff cos I wisnae in the mood for dealing wi spirits.

There wis an uneasy feeling in the room and apart frae a wee red licht like a peep o daylight in the far corner everything wis blackened. Johnann fell asleep richt awa. It wisnae the maist comfortable nicht I pit in but I couldnae slum for hearing funny creepy nocturnal sounds. Eventually I fell asleep and I only awoke cos Johnann stirred. She arose tae use the toilet which wis ower aside the wee red licht in the corner. Naething hid happened aa o the nicht yet the moment Johnann wint intae the toilet an unusual thing did manifest. It wis aboot sax in the morning and I did hear a sort o giggly sound coming frae the panels. Then I saw twa bonnie laddies dressed in very smart short troosers and shirts wi bow ties come intae the room. They came ower tae mi bed and sat upon it. They were aboot four and five and they looked very like each ither and they looked very Italian featured. The bairns jist sat and giggled at the fit o mi bed. Then a huge dog came intae the room and it hid a heid upon it like a fifty shilling pot and I think it wis a great dane. I felt the weight o this huge heid upon mi bed and I could feel its breath against mi. The happening teen only a couple o minutes tae materialise and then it vanished back intae the panels o the hoose. Whin Johnann came oot o the toilet I telt her whit I hae seen but she wis still a bit dozy and she wint back tae sleep for aboot anither hour. I saa that strange event and I didnae ken wha the wee laddies were nor wha the big dog belanged tae, but I saa the manifestation for some reason.

Wi baith arose at seven and richt enough the taxi teen us hame and the hotel wis very silent and still. As oor taxi ran alang the driveway I felt a sense o peace in mi heart. I didnae tell onybody aboot whit I saa cos folks wid think ye were daft so I kept tae mi ain thochts. Whin asked by the BBC or the local radio aboot the results o the overnicht stay I jist kept mum. I feel I can share that experience noo, and wi did mak it in time tae see wee Samantha blessed intae the church.

ROOM O MONKS

Anither time I wis doon in Glesga and I wis daeing a thing wi ballads and it sae happened that I wis booked intae a hotel in the centre o the toon. I aye think upon Glesga as a big modern city and that naething aboot ghosts wid happen there but I wis gan tae get an eye-opener.

The event wint weel, I got a guid audience and aifter the gig I hid a fine walk roon the streets in the heart o Glesga and I fair enjoyed masel cos the folks there are very coothie. It wis late on in the evening afore I got tae the hotel I wis biding in and I wis shown tae mi room. It wis awa at the top o a high stairway, the last room at the end o a corridor. Really I am nae aa that fussy whar I shack doon, so biding in a flashy hotel wis pure luxury tae me.

The room wis a very smaa room wi basic furnishings, there wis built-in wardrobes and een wee sort o table wi a mirror. The single bed wis in a narrow alcove and it jist fitted and nae mair, while the table wi the mirror wis in anither wee alcove directly in front o the bed, so ye could see yer ain reflection as ye lay doon. Also there wis a wee windae that looked doon upon a courtyaird, while at the opposite side wis the door. Jist at the entrance tae the room wis the toilet.

Oddly enough gan up the stair tae mi room I felt there wis a lot o folks looking at mi. A funny sensation swept through me, but I thocht it wis jist doon tae mi being tired wi the lang journey and the time o night. Seeing I hid bin travelling I felt a wee bit clatty and mi hands for some reason were awfie dirty. Ye ken sometimes ye seem tae get grimy. The first thing I thocht I wid dae wis tae hae a bath so I stripped aff mi claes and pit on the shower. The waater wis fine and warm but an uneasy feeling started tae unfold aroon me. Trying nae tae let it bother mi I carried on washing. The film *Psycho* and the horrible murder scene wint through mi napper and I started tae fleg masel. Here I wis in a top floor flat o a guid hotel and letting mi imagination get sportive.

I tried tae rationalise and tell masel nae tae be sae sully and instead started tae enjoy the shower and the fine hot spray. Suddenly, for nae apparent reason, the door o the toilet banged open and simultaneously the lichts wint oot. Fear gripped mi heart and I thocht I wis a croaker, for I felt a presence in the room. Panicking and letting the maist horrible imaginations o the mind rin rampant, I made tae bolt the door — yet I hid snacked the door already frae the inside afore gan intae the shower and I noo couldnae for the life o mi understand hoo the door hid jist burst open. It wis very frightening and pitch black cos there wis nae windae in the toilet.

Making a brave effort, I wrapped the towels roon mi naked body and slowly fumbled mi wye intae the room. At least I could see inside the room cos there wis lights frae across the ither side o the courtyaird and it made everything visible, though quite shadowy. Minutes later the lichts gaed back on and things felt quite normal again but I wis a bittie shaken wi the experience. At least the lichts were working again. If the room hid a television I wid hae watched it aa night but there wisnae a television there. I read a bit o the Gideon's Bible and it didnae gie mi ony real comfort cos I wis a bit flegged. Mi een were gan the gither so I pit oot the light and settled intae this bed in the narrow alcove.

Funny sensations were still rinning through mi soul and body and then I realised the room wis the shape o an upside doon cross. Mi heid wis doon at the feet o the cross while mi feet were pointing tae the tap. I wis aware o the wings o the room as the airms o the cross and the mair I thocht upon it the worse I became. It wis an obsession and aa the creepy films I hid ever watched were coming tae mi mind and I wis making masel a nervous wreck. So I stood ootside mi bed and I told masel that I wis a man and shouldnae let sic silly thochts fear mi. As they say, ghosts and images only fear bairns. Wi aa the strength I could muster I settled doon tae sleep and believe you me it didnae come easy. I fell asleep and I dreamt that I wis chasing mi ain bairns in a field and I wis playing games wi them and mi dreams were loving and homely. I felt guid in mi slumber.

Waking up through the deid ceilings o the night I could hear strange chilling music like chanting. Mi een were aa bleary and I rubbed them. Fear swept eence mair through mi soul and I jist kent something wisnae richt. There wis gan tae be something happening tae mi and I wis trash tae look. The chanting got louder and I felt compelled tae open mi een, for whitever it wis, I wid hae tae confront it. Slowly I opened mi een and as I focussed them intae view whit I saw nearly made me drap deid. A ghostly parade o monks — or holy-looking men — were walking jist in front o the bed as if they were walking roon the hotel, but they passed mi bed on their wye. They were dressed in lang robes wi big beads doon their sides and every een wis garbed the same wye. Each een hid his heid bowed doon as he walked past the fit o mi bed and there wis thirteen o them — I counted them een by een. Each sang in a different key, but I couldnae mak oot the strange chanting, although it wis like something ye wid expect frae a monastery, or some kind o religious order. Mi room noo looked as if it wis in the middle o cloister and I wis the intruder, lying there unceremoniously wi monks passing by in their devotions.

Yes, there wis thirteen o them and they jist aa passed by mi wi their heids doon. Aifter the thirteenth yin passed by it felt as if they hid paraded awa tae some ither pairt o the hotel. I sat up in mi bed really shaken. Then,

tae mi greatest surprise and jist whin I wis least expecting it, the thirteenth monk came back and looked at mi in mi bed and he shook his finger at mi as much tae say that I hid nae business being there disturbing them frae their prayers. Then he looked at mi mair closely and he seemed as surprised as I wis — hid I come intae a time warp or a dreamtime and wi were baith passing een anither like ships in the nicht?

I arose a moment later and pit on mi licht and looked at the time, it wis half past three in the morning. I couldnae gan back tae mi bed and I couldnae believe that this thing hid really happened. It wis too much for mi tae comprehend. At lang last whin it reached six o clock I felt mair easy in mi mind and I fell asleep. Never wis I sae glad tae be gan hame.

Gan the journey hame I let mi mind contemplate, for it is awfy hard at times being a psychic cos ye never ken whit ye are gan tae uncover or replay. Some parapsychologists believe that places often retain happenings which are sort o recorded in a natural video-type camera and whin folks wha are psychic gan aboot in these places then they supply the trigger tae re-enact the occasion. Mi mind kept nagging aboot that place so I made enquiries aboot the area and wis telt that the hotel in question wis built near by whar there hid eence bin a monastery.

Glesga is still a kind city tae me and I hae mony guid freens there, so I never let that particular experience pit mi aff gan back there. But believe me whin I say that I wid never gan back tae bide in that hotel again — it fairly wraxed mi heartstrings!

THE SKIFFIE LASSIE

Oftimes a body can get a glimpse intae whit his happened at places that hae a history tae them. Een such place wis a big hoose up the Deeside. I am aye interested in big hooses and legends so whin a dear freen, a very learned man, phoned mi up tae see if I wid gan wi him tae tell him whit I felt aboot a certain place I agreed. In fact this wis me introduction tae a man wha later became een o mi very best freens.

Andra, wha wis a writer, wis also very interested in the paranormal and supernatural. He came up for mi een Saturday night and telt mi that he wisnae gan tae tell me onything aboot the hoose whar we wis gan, but only that he hid gotten permission tae make an investigation. Strange enough he asked mi if it wid be aaricht tae gang oot tae the hoose at aboot midnight. Tae mi it felt a bittie odd, but nevertheless I said that wid be aaricht.

He teen mi oot in a bonnie new gold-coloured car and we drove oot alang the lower Deeside road for aboot half an hoor, and it wis a gey dark kind o nicht. Whin we arrived at the big hoose it wis completely deserted, but Andra hid the key for tae open and rake aboot the place. Whit a feast o bonnie artistic treasures there were in the hoose, but I didnae ken jist exactly aboot whar I wis or whit the name o the big Haa wis.

There definitely wis an atmosphere o a cauld deidhoose feeling tae the place. It seemed tae be used for many different purposes and it wisnae exactly a bade-in hoose. Gan through the libraries and rummaging aa aroon the rooms, I felt an aura aff everything but naething really sinister. Noo doon at the bottom o the big hoose wid eence hae bin servants quarters and whin we wint doon tae the bowels o the hoose there were sets o bells that obviously were used by the big shots lang ago, still there as a reminder o the past. Doon here there wis a lang dark narrow corridor wi a door and a puckle o steps at each end and aboot six doors alang the sides gan intae rooms.

For some reason Andra widnae come doon tae this dark sunken corridor but asked if it wis aaricht for him tae bide at the top o the stairs. Obviously, he wis a wee bittie feart at gan doon. Dim lights lit the corridor and the air felt a wee bittie stagnant. As I walked alang the lang corridor I opened every room on the passageway. Whit bonnie rooms they wid hae bin, but they were used noo for storing boxes and things, but kept neat. I kent masel that they were the servants sleeping quarters and that the bells were rung for them tae rise and answer tae their betters. Aye, folks hid tae ken their places then, in the discipline and the hierachy o a big hoose. It minded me on the television show *Upstairs Downstairs* and I could jist feel the hale grand presence o the former hoose and the places o the domestics wha worked there. The feeling wis nae fearsome. In fact it wis quite exhilirating. I wis enjoying walking alang and looking intae the auld rooms and wondering whit kind o lives the skiffies and cooks hid. Probably it employed a lot o servants cos there wid hae bin aa the hoosehold staff and also a gardener.

Then I came tae a room at the end, aside the ither door gan oot o the corridor jist afore ye climbed up the twa or three steps tae gang oot again and this door hid a very strang aura coming frae it. Wid ye believe it? Whin I opened the door it wis an auld-fashioned lavvie, in guid condition cos even though ye kent it wis auld, it looked as if it didnae get used nowadays. For a servants bog it looked real grand and it wid a probably bin a luxury lang ago. I closed the door and I wint back alang the corridor tae whar Andra wis still stannin on the top steps observing, whin something caught mi attention. A weird, sad sobbing seemed tae come frae een o the rooms and come alang the corridor. Tae mi amazement I thocht I seen a young servant lassie, heavily pregnant, walking alang the corridor and mak for the lavvie. I seen her gan in and I could hear her being violently sick as a dog. Mi heart wint oot for her and a wee whilie later I saa her coming oot again. She stopped at a beam in the middle o the corridor and then gaed back tae her room. Everything turned very quiet and I felt I kent the story o the hoose. Andra widnae come doon but hastened me tae come oot and so we left the hoose and he locked it up.

Driving hame tae Aiberdeen in the car, Andra wis a bit apprehensive tae speak aboot fit I might hae felt. Aifter ten minutes he asked mi aboot whit I hid felt and I telt him mi thochts on whit I believed hid taken place. "Weel," I said, "there eence wis a bonnie young servant girl wha worked at the big hoose and she fell pregnant tae een o the young men o the big hoose. She tried tae conceal it, but she wis awfie ill during her pregnancy and she used tae rise up through the nicht tae be very seek intae that wee lavvie. Whin the time came nearer and her condition wis foond oot she wis gan tae be chucked oot. The lassie wis in sic a dire strait that een day she hanged hersel upon the beam in that lang corridor."

Andra turned pure white and he stopped the car. "That is very uncanny, ye see I already kent the story cos the folks wha owned the hoose telt mi aboot it, but naebody else kent it. The folks gaed mi the keys tae the hoose cos I am very interested in writing a story aboot hooses that seem tae retain ghostly happenings."

"Weel, Andra, I only telt ye whit I felt and I dinnae ken naething aboot that big hoose cos that wis the first time I hae ever set mi een upon it."

Since that time Andra and masel hiv hid a lot o strange experiences and baith o us are writers on the supernatural.

DEMON AT THE WINDAE

Whin I used tae gang folk singing a guid few years
ago, I often hid tae bide wi strange folk. I suppose
aa folksingers whin they hae gigs tae dae, hiv tae
get a place to curl up for the night. Usually some-
body frae the folk club maks ye welcome intae
their hooses and if it is some posh organization
then ye wid maist likely get a hotel or a boarding
hoose for the night. So, whin ye visit ither toons,
then ye get accustomed tae biding in strange
places.

Aye time I wis daeing a club in Edinburgh and it

belanged tae a real yuppie lot o people, but they were nice folks, though a bit too toffie for me. I am a very doon tae earth person and I wis jist a folk singer as a hobby. Normally, I hid tae graft in the fish trade and wisnae accustomed tae nice-speaking folks. English is a hard language tae spik aa the time, so rather than pit mi fit in it I usually spik in mi ain Doric, which is a different dialect frae the lowland sort o tongue they spik in Edinburgh.

Weel, the club wis aaricht and I got mi money frae the folks. In that days ye got a percentage o the door takings and that nicht it came tae aboot twenty poonds. Ye only really made a pittance aff the gig, but I liked singing the muckle sangs. Aifter the gig, aa this folk-scene yuppies thocht they wid hae a pairty and they invited me tae it. Usually the thing tae dae wis tae invite the guest o the club back tae somebody's hoose. At least I wis biding wi really interested folks wha werenae sae flighty as the ither eens.

Onywye or anither, wi landed up in a bottom flat o an auld tenement building and it wis quite central. Maist o this crowd were intae some o the auld religions, cos upon the table in the living room they hid the Hierachy o Hell on show. Noo I twigged whit it wis richt awa, but they folks were trying tae pit the wind up mi by telling mi creepy things and they were deliberately trying tae tak the mickey o mi, but I wis accustomed tae that kind o thing. The folks were very intellectual and could leave me standing in some things, but I hid knowledge o ither aulder things. Weel wi aa sat roon a big oblong table and they aa started telling ghostly stories. This wis for my benefit and at this time I hidnae bin discovered as a story-teller.

I remained quite undisturbed wi their stories and they kept makin innuendos taeward me. I bade mi time and I thocht whin the correct moment came that I wid tell a creepy tale cos I hid things that wid set ye forth o ten years growth.

At last the moment arrived and I hid prepared a real creepy gem frae oot o the darkness and the obscurity. Noo, frae whar I wis sitting at the heid o the table, I looked richt ower through a big windae taeward the middle o the toon centre and I could see the lamplicht glimmering ower the windae. Aroon mi sat aa the folks and it wis noo my turn for tae shed a bittie licht on the subject o the supernatural. I started tae tell this creepy story and they hid never heard a real storyteller afore and I kent that I hid mi audience. Aabody sat perfectly still and I hid the fleer aa tae masel. The story wis a richt darkside tale and I kent the folks were getting shivers up their spines. There wis complete silence in the room as I telt mi tale and I wis jist aboot tae come tae the highlight o the tale as I said the words, "the evil thing came tae the woman's windae and shrieked at her."

Wid ye believe it — I got a real fleg masel — cos the very moment I said these words, and I am nae joking, a huge owl came richt up tae the windae and it glowered in and tae the utter amazement o the folks in the room it screeched, "To wit to woo—to wit to woo!"

It wis a very fearsome cry and the woman next tae me screamed oot o her. Some o the ither folks were spectators tae the weird event, but some folks were sitting the opposite wye, wi their backs tae the windae, so they never seen it but only heard the creepy screech.

It wis a fitting climax tae sic an eerie nicht. It kind o jolted maist folks in the room and left aabody wi a scary feeling.

I tried tae mak a joke aboot the hale thing, but the lassie wha bade in the hoose wis feart. Aifter aa, she hid tae bide in the hoose whin aa the guests wint awa. Afore I left, anither fella said, "Stanley Robertson is nae only a guid story-teller, but I think he is a guid ventriloquist."

I wisnae a ventriloquist. It wis jist anither unexplicable event o the supernatural. Nae lang aifter mi visit wi that young couple, I heard they hid tae sell that flat cos it wis unpeaceful following mi visit. Sully craturs, it wisnae mi visit that haunted them, but it wis themsels tampering wi things they kent nowt aboot and things that should hae bin left alane. The lassie vowed that she wid never let mi back intae her hoose again cos she thocht that I hid uncanny powers o bringing demonic things intae a hoose. Really it wis their ain folly that brocht things intae their hoose, cos in fact I wis very religious and definitely didnae tamper wi uncanny things. But that wis a true incident and there were many witnesses that nicht wha heard and even seen it.

Weel these are jist een or twa o mi unusual incidents that I thocht that I wid share wi ye. Maist likely many o ye folks could tell me creepy and unusual experiences that ye hae hid in yer ain lives.

ROBBIE HAA: A TALE OF THE SUPERNATURAL

'Robbie Haa' wisnae his real name, but a title gaen tae him by his fellow traivellers. He wis actually cried Robert Johnstone, but his muckle stature and protruding belly earned him the by-name. Haa means Big Eater in the Cant language. Although Robbie didnae hae that voracious an appetite his name wis appropriate tae his appearance. There wis a slight blue vein that ran ower his broad muckle nose that used tae become mair visible during times o stress or trouble. It wis een o his physical characteristics that wis maist noticeable, but it didnae tak awa the cheerfulness o his countenance. If there wis aye thing that Robbie liked, it wis a guid laugh, and his jolliness wis apparent maist o the time. He wore a tartan bonnet which he tilted tae the side slightly, like that o a sodger.

Abeen aa things, Robbie Haa wis a real traiveller, and he hid learned mony trades in his day. He could tinker wi metal, mend pots, work siller and gowd and he could aye 'dry hunt' for himsel.

Perhaps the absence o a wife gaed Robbie a complete feeling o freedom, for he wandered where'er the freak wid tak him. Nearly aa his worldly possessions he could cairry on his back, for his tarpaulin and a few tools wis aa he needed. The tarpaulin wid mak his camp, and the tools he used for his trade. Ower aa the Highlands o Scotland he wis well kent and beloved by mony, for he hid great character.

Wandering frae village tae village he earned a guid living. During the harsh days o winter he would seek lodgings frae the mony friends he kent, but in the simmer he loved tae roam, wi the smell o broom and bracken filling his lungs. The hale simmer long wid be enjoyable; working aa day and haeing a fine dram in his tent in the warm evenings. This wis life tae Robbie Haa; a wye o life, a life on the rawness o nature.

Whit a beautiful simmer it wis that year wi aa the trees trying tae outdo een anither in splendour. Aa o Nature wis radiant, and Robbie wis in the highest o spirits. Life wis being guid tae him and the season wis fleeing past sae quickly. It aye seemed tae be that the guid simmers passed awfy quickly. Robbie hid bin working in mony o the Highland villages, and makin new freens. He wis in his element telling stories o his adventures tae the enthralled audiences that wid gather in the public hooses. He hid aye favourite inn in the toon o Brackenden whar he wid relish in the spirit o the place. Robbie loved this village and the folk liked him. He didnae need a reason tae visit it, but he aye foond himsel coming back there.

On een o his usual pilgrimages tae his favourite village he wis bent on haeing a guid time for a week or twa. Whar the dancing burn cam doon in cascades ower the small rapids, Robbie wid aye set up his tent cos this wis a special spot tae him, and he cried it 'Robbie's Cane', meaning Robbie's hame. Here he could enjoy the tranquillity o nature. The bird song wid waken him frae his slumber, and the call o the owls send him tae sleep. This spot felt almost hallowed tae him. Niver wis there a time whin he wid feel unsafe there cos this wis truly a resting place wi the serenity o a graveyard. Strangely enough, there wis sic a place jist doon the road about three hundred yairds on the opposite side. The graveyaird wis the only burial ground in the vicinity and it served aa the community o Brackenden. Bein near the graveyaird niver bothered Robbie Haa, wha wid jist say tae himsel: "I hiv got fine quiet neebours". It wis jist a half mile frae whar Robbie camped until ye came tae Brackenden, and Robbie wid find plenty o things there needing fixed tae earn himsel a few bawbees.

And so on aye visit as Robbie arose tae the early morning chirping o the birds, feeling nae quite as fresh as the Laverock, he stripped himsel tae the waist and washed in the waater that cam doon frae the Highland hills. He then made a fire tae mak his breakfast.

"Three duke's yarrows will dae me weel."

The fire, made wi decayed broom, and the smell o the eggs cooking made Robbie's mooth water. Aifter his breakfast, he looked for his trade tools, and made his wye intae the village.

He deen een or twa jobs at mending pots and in the early aifterneen he wint oot tae the ither side o the village, and roond een or twa hooses in the area. On top o the whinney mount there wis a large dismal-looking hoosie. The exterior seemed sadly in need o paint, and the hale thing seemed tae be in a state o dilapidation. A sad aura surrounded this hoose, yet it hid a beckoning call aboot it. Robbie looked at the hoose and felt a cold shiver run doon his spine. "A shan deekin' keir," Robbie said tae himsel, but he also thocht that there might be a job needing deen.

Wi undaunted courage he walked tae the front entrance and gaed the door a loud clear bang wi a rather strange-looking knocker, which wis large and made o pewter, wi a ram's head image upon it. There wis silence for a moment, but this wis broken by the appearance o a very stout lass. She wis a sciffie frae the village wha worked a few hoors a day at the big hoose. Robbie very politely speired if there wis ony jobs needing deen by the maister o the hoose. She looked awfy frightened, but telt him tae wait until she returned. Aifter aboot a minute she returned wi a man wha looked like an undertaker. Robbie kent him well. He wis Mr James, the undertaker for aa that pairt o the country, and he lived in Brackenden.

"Aye, Robbie, I hae a jobbie for ye tae dae, and I will be glad for yer assistance. Ye see, mi boys hae aa gan tae Glasgow the day, and I'm on mi tod. If ye help me, I will pay ye thirty shillings for yer work."

Robbie wis delighted. Thirty shillings wid see him through fine. Whit a large sum o money for daeing a job.

Whin he entered the big hoose, a strange nauseating smell filled his nostrils. There were evil looking pictures on the waas and the hale state o the hoose wis drab and dreary. He couldnae help noticing twa large crosses nailed upsides doon on een corner o the waa that wis shaped like an altar. The feeling o the hoose wis overwhelming.

Mr James took Robbie through tae a very dull bedroom and there, lying on the bed, wis a sight that nearly caused Robbie tae vomit. A cold sweat rin doon his back, and his limbs quivered as he looked at an auld man o aboot seventy-five wha sat half up in a reclining position. His arms wis twisted and contorted, but his face wis the maist frightening pairt, cos the een were wide open and red wi fury, and the mooth wis open too, wi dried saliva clinging tae the lips. The auld man's tongue wis oot in the death rattle while the hale face expressed a condition o pure horror. Mr James said,

"I'm sorry Robbie, he's no a pretty sight, but I cannae manage tae pit him in the coffin on mi tod." There wis a muckle black coffin in the room aside the bed, and four black candlesticks were burning on the mantelpiece. The twa men lifted the twisted corpse ontae a marble table that wis in the room, and then wi haste they teen aff the night-clothes o the dead mannie. This wis a gruesome task as his body wis sae twisted. He then hid tae be washed, bent tae a normal shape and dressed in a shroud. The auld man hid his own black shroud aaready in the hoose. Aifter much manip-ulating they finally managed tae straighten the body, but the eyes widnae close. They tried putting pennies on the eyes, but it wis as though they wanted tae see whit wis gan on. The men could-nae stand the feeling o being watched by the evil een, so they screwed doon the coffin lid as soon as possible. Finally the task wis achieved, and baith the men and the sciffie lassie left the hoose. Locking the door o the big hoose, they felt a sigh o relief and dared nae speak aboot whit lay behind those portals.

On the road back hame, Robbie could still feel the clammy feeling up his spine, so he thocht upon the thirty shillings, and how he wid hae a fine time

at the inn, where there wid be enough tae buy a
few bottles o whisky which he could tak back tae
his camp. The sun wis still shining brightly, and the
further they moved frae the hoose, the better it felt.
Aifter aa, it wisnae the first corpse he hid seen, so
why should he let it bother him?

On arriving at his shop, Mr James wint up the
stairs tae get the money tae pay Robbie, wha wait-
ed ootside in the workshop, whar he couldnae
help but notice twa o the undertaker's assistants.
Surprised, he wint ower and said tae the men, "I
thocht ye lads were awa tae Glasgow." The young
men replied that they were no awa, but only that
they refused tae gan tae the big hoose wi Mr
James.

Robbie wis puzzled. "Why did ye nae gang tae

the big hoose?"

Een lad answered, "I widnae gang tae the big hoose for a king's fortune."

"Whit wid yer reason be for that?" asked Robbie.

"Ye mean tae say ye dinnae ken aboot the big hoose?"

"No," replied Robbie.

"The man fa owns the big hoose is a Laird o the Black Airts, and a recht warlock wizard..."

Robbie smiled tae himsel, cos he realised they were speaking in sport, though he could tell by the expression on their faces that there wis an element o truth in it. Een lad said, "Nae only that, but there wis bad blood atween Mr James and the auld Black Laird."

Robbie felt a sense o excitement at this news frae the men. "Ye see, Mr James did a thing that angered the auld laird. There wis an awfie fine lassie that come frae Glesga and the auld Black Laird wis fair teen wi her. Aifter a whilie he managed tae get the nice lassie intae strange goings-on. Soon aifter that Mr James met the lassie and became freens wi her too. He persuaded the lassie tae gang hame tae Glesga, and he gaed her the money tae dae it. The auld laird wis awfie fond o the lassie and so whin she didn't come back, he made enquiries intae her leaving, and he foond oot that Mr James wis responsible. He wint stone horn mad, and he pit a curse ontae Mr James and said that if he didn't get his revenge in this life, then he wid come back frae the deid and get him."

Robbie wis amazed at the story he heard.

Although it wis a strange tale, he didnae worry aboot it that much. Aifter aa, it hid nothing tae dae wi him, and the Black Laird could surely nae hae ony grudges taewards him.

Mr James came doon the stairs. He gaed Robbie the money and thanked him for his assistance. There wis a look o guilt across his face whin he saw Robbie speaking tae the assistants, but Robbie jist laughed and tried tae tak away ony embarrassment in the situation.

Mr James then said, "The funeral will be tomorrow at twelve noon and I hope ye will attend tae help me, cos there winnae be very mony mourners." Robbie assured Mr James that he wid be there and that he could count on him.

That night Robbie sat alane in his tent, and the guid dram he teen gaed him a false courage. He wisnae afraid o man or beast. He slept soundly until next day.

Whin he arose he tidied himsel up, cos he kent he hid tae attend the funeral. It wisnae a fine day, but rather a dreich een wi heavy clouds. The drizzling rain wis sae fine that ye could hardly see it, but it wis chilling. There wis an eerie atmosphere ower aa the village. He made his wye tae the auld cemetery, whar only a smaa band o folk stood — only the grave diggers, the undertaker, twa awfie strange-looking women, like witches, and Robbie himsel. There wis nae preacher o ony kind tae be seen. The grave wis neither dedicated nor hallowed and the twa strange women were singing awa awfie shrill in a kind o chant that wis ear-piercing. Aathing aboot the funeral wis eerie, but at last the auld black laird wis laid doon tae rest.

Robbie walked awa frae the graveyaird wi a feeling o emptiness. There seemed tae be a void within him and a strange sensation o falling intae an abyss. The hale evening he sat in the inn and felt he wanted company cos the feeling o loneliness wis strong. Whin the inn closed he walked back slowly tae his tent beyond the graveyaird and he felt flegged as he passed it. That night as he lay alane in this tent he couldnae sleep. There wis something in the air... there wis evil aa around... he could sense it awfie strang.

Aboot three in the morn, as Robbie lay awake listening tae the nocturnal creatures makin their weird shrill noises, there wis a sepulchral screech like that o a banshee. It filled the night air. A thick mist lay outside — a dark rolling mist that seemed tae bring forth spirits o the night. Robbie lay still as a stane and for eence in his life he felt the sensation o true fear, and it gnawed at his heart and soul.

A loud voice then wailed through the night, "Robbieeeee help me, help meee.."

The shivers rin up and doon Robbie's spine. "Surely somebody is hurt," he thocht. He arose frae his tent, and looked ootside intae the mists. The voice cam again, "Robbieeee — help me!" It cam frae the direction o the graveyaird gates. Robbie ran tae the cemetery gates thinking that some person hid bin hurt or attacked. He approached the gates wi caution, but he could nae see onybody there, until he heard the voice again, and this time it came frae right within the graveyaird.

Robbie cam right intae the graveyaird, and then there wis a flash like lightning, as a strange fusion teen place. Some powerful evil source o energy pushed Robbie tae the ground, unconscious. Yet, a few seconds later he rose tae his feet. His eyes were glassy but venomous. A treacherous grin wis on his mouth, and noo he walked back through the gates o the cemetery alang the silent dark road towards Brackenden. Only this wis nae Robbie the loveable man wha wid nae hurt onyone, but instead and by some kind o sorcery, it wis an evil auld man wha stalked towards the village in Robbie's image. He hid the strength o an ox noo, and the control o Robbie's body. Alang he trodged taewards the village whar aa wis quiet. Aabody wis asleep. Even Mr James wis asleep, in his upstairs apartment next tae his undertakers shop.

Noo Mr James niver locked his door, cos folk sometimes came through the night if a loved een hid died. So, whin Mr James awoke wi the sound o heavy footsteps comin up the stairs and heard a fumbling at the door knob, he wisnae worried. The door turned and a shadowy figure appeared, standing at the bottom o his bed. Mr James lit his oil lamp tae see his visitor mair clearly, arose tae his feet and saw noo that it wis Robbie wha wis the mysterious person within his room.

"Oh, it's ye Robbie, ye gave me a fleg for a moment — whit can I dae for ye?"

The big man stood silent, wi a leer on his face.

Mr James could feel a cruel sense o evil aroon him as Robbie spoke, "I hae come tae get mi revenge, jist like I said I wid."

A horrible cruel laugh wracked the air o the room. Robbie picked up an awl that wis long and sharp frae a box o tools Mr James kept in his room, and the awl gleamed in the lamp light. He laughed as he came closer and closer. Mr James tried tae protect himsel frae this devilish assailant, and he kent the evil wis very strang, and using a powerful human like Robbie, sic evil could crush its victim.

In awesome terror the victim wis caught by the throat, and lifting the awl in the air, Robbie wis ready tae plunge it intae the heart o Mr James. There wis a screech o delight wi the prey within his clutches. "At last I hae my revenge on ye."

Then, jist as he wis aboot tae strike, the awl fell frae his hands .

"Ahh-h! I hae bin cheated!"

Aifter crying these words, Robbie fell tae the ground. A moment passed afore Robbie arose again, but noo he wis stunned and amazed. He couldnae understand whit hid happened — how hid he managed tae get intae Mr James' hoose? Mr James gave him a glass o brandy. Both men were shaken. Afore lang, the undertaker began tae explain his quarrel wi the Laird o the Black Airts. He telt Robbie aboot the curse, and aboot the strange powers that the Laird held. The men spoke for aboot an hour together trying tae understand whit really happened, whin a knock came tae the front door, and the men were startled. Wha wis this that wis coming in at this early hour? Then a young man, wha lived in a nearby glen came in, and he said, "Mr James, auld Morag o' the Glen died an hoor ago."

Mr James said tae Robbie, "Noo I ken the secret o whit happened! Ye ken in Scotland there is an auld belief that whin someone dies, he becomes the *keeper o the grave*. We believe that his spirit watches the grave until the next person dies. Whin the Black Laird died, he used his evil powers tae revive himsel until ye came tae the graveyaird gates, whin his evil spirit could possess ye and ye become his instrument o revenge. Ye, Robbie, wid hae bin hung for my murder, even though ye are innocent. He thought his plan wis foolproof cos very few folk die here and it is usually months atween folk dying here. Whin auld Morag o the Glen died, she cancelled his keepership o the grave and became the new Keeper o the Grave hersel.

The hale mystery wis explained, and it gaed Robbie a new insight intae the evil powers o black magic. Although he still loved the Highlands, this brush wi direct evil made Robbie gan mair often tae the central lowlands tae mak his living, whar he telt the tale tae mony o his fellow traivellers throughout Scotland.

BLACK FRIDAY

The second world war wisnae lang ower and folks in 1950 were beginning tae get their lives back in order. It wis a time for building and mony ex military folks were starting tae settle doon tae normal in civvie street. There wis plenty o work for tradesmen and some folks started up in their ain businesses.

That wis the wye o it wi Peter Bond, cos aifter the war he started up on is ain wi a painter and decorator business. He employed three ither lads wha aa got on weel wi een anither.

There wis Uncle Jeff, wha wis an ex-commando although he wis only twenty-six years auld, and a guid grafter and organiser. Uncle Jeff stood sax fit high, wi sandy coloured hair and dark een and he wis uncle tae Paul. Noo Paul, at eighteen years auld, wis the youngest o the crew and he wis a real bright spark and used tae keep aabody in stitches. He fair adored his Uncle Jeff and he wis mair like a wee brither tae him. Jeff kept a guid eye on the loon and made sure he aye kept at it.

Last but nae least wis Doug, wha wis overall a quiet fella. He wis mair o a thinker and he liked tae read intae various things. Still, aa the lads got on weel and they never shirked frae their work. Paul used tae act the goat a bit at times but he wid pull his weight. Somehow, he hid managed tae get oot o the National Service, since whin he wint doon for his examination the doctor hid said he hid a bad chest. It wis really he hid a bad bout o bronchitis at the time but he managed tae dodge the call up onywye.

Peter Bond, wha wis stocky and sported a thick beard and a ruddy complexion, used tae get aa the contracts and jobs for tae keep aabody in a job. They were pleased wi their lot.

Noo it come tae pass that Peter got a special job frae a laird in Perthshire for tae decorate a very massive drawing room but the mannie wanted it aa deen in een day.

Peter agreed tae dae it and he telt the lads that they wid be leaving on the Friday night and that they wid be traivelling doon tae Perthshire, cos the toff mannie needed tae hae it aa finished on the Seterday. It wis a big job but wi guid grafting as a team they wid be able tae accomplish the task.

Uncle Jeff believed in *esprit de corps* and that team work wis the only policy tae adapt. Peter telt them they wid traivel doon in his big van and that he wid hae aa the stuff that wis needed but this rich laird wid supply his ain paint and very expensive paper for the waas o the big hoose.

So the men made arrangements aboot gan awa on the Friday night.

Weel the journey doon wis nice and Peter and Doug sat in the front of the van, whilst Jeff drove and Paul wis chucked intae the back aside the equipment. He blethered non stop aa the journey doon and butted in tae aabody's conversation. Doug wis aye giein a wee bit aboot Scottish history interspersed wi sangs, but Paul rattled on, spikin tripe. Eventually Peter directed Uncle Jeff tae whar the big hoose stood and at last they were stopped ootside the big haa.

Whit a really magnificent mansion. It wis secluded intae a large green estate wi aa mainner o trees aawyes. Peter got oot by himsel and wint tae converse wi the big shot alane. The laird, wha wis a muckle, burly man spoke tae Peter quite authoritatively and gaed him his instructions aboot the room and he also gaed him a set o keys tae their accommodation. The ither lads stayed in the van, cos they kent nae tae dare wander aboot the private estate. Peter cam back and joined his pals in the van and wi directions for Uncle Jeff tae drive tae the back o the estate. Soon they came tae a big gate on a private place, whar there wis high wire aa roon aboot.

Obviously there wisnae folks allowed intae this pairt o the estate normally, but they were the privileged few so they stopped the van ootside this padlocked gate.

"Aabody get aff here," shouted Peter, "cos wi hiv tae walk alang this ither track that will lead us tae a hoose whar wi will be biding the night".

Takin oot the padlock key Peter opened up the big gate and eence aabody wis through he closed it aifter him.

The crew walked up the few hunder yairds till they came tae a square-shaped hoose. There wis a strange smell o rotten vegetation and their feet sunk under the spagnum moss that wis everywhere.

"This minds me on a creepy picture," shrieked Paul, "whar folks come tae a strange hoose late at night and a phantom throat cutter comes in and slits their throats and leaves their puddins lying aboot everywhere."

"Weel Paul that may be so, but it's only seven o'clock and it's still daylight and naebody believes in ghosts or mad folks gan aboot in sic a lonely spot," echoed Uncle Jeff.

The ither men jist laughed but as they got near the hoose there wis a strange sense o foreboding. Peter teen oot the key for the door o the hoose and turned the latch.

"At least there is electricity in the hoose, cos the laird said he'd turned on the generator himsel earlier on and the maids pit clean sheets on the beds," said Peter.

As he opened the door a strong, mochy, dreich smell reeked doon their throats.

"Fit a horrible guff coming aff this hoose! It's really minging," cried Paul.

"That's only the smell o musk and dampness cos it hisnae bin inhabited for sic a lang time," assured Uncle Jeff.

Yet the odour wis sae strang tae their senses that it almost teen awa the breath frae Doug. It wis aa foul and damp wi jist a subtle hint o methane. It wis maistly coming frae the swampy environment.

"Fits that awfie fartie smell I smell?" asked Paul.

"That's a slight smell o methane gas that comes aff the deid and rotten vegetation and aff the swampy earth," replied Doug.

The hoose itsel wis clean enough, it wis jist the mochiness o the air that made it sae dismal. There wis twa bedrooms doonstairs and twa upstairs. The hale hoose hid bin decorated cos every room wis deen up in the same purple coloured wallpaper and the same light blue broad border on the beading. The floors were nae highly polished but ye wid hae kent that it sometimes got a polish occasionally frae the maids o the big hoose. Auld divan beds wi tops and bottom rests were made oot o oak but the sheets and candlewick covers looked fresh. Yet whin ye smelt the beds there wis still a smell o clattiness. Perhaps the smell clung ontae the waas and ceilings.

"Since it's early yet, I think wi could gan doon the nearest toon and maybe get a pint and some chips tae eat for aifter," said Peter.

"A very guid idea," agreed Doug.

"Lead me tae the chipper, cos mi belly thinks mi throat's bin cut," cried Paul.

"Aye, by the phantom throat-cutter ye saa in yon picture ye were telling us aboot," cried Uncle Jeff.

Aa the men hid a wee laugh at the expense o Paul, but there wis nae hairm in it.

Whin they eventually reached Perth they ate as much fish and chips as their bellies could hud and then wint tae a pub. It still wisnae aa that late and there wis a crowd o folks in the bar cos there wis gan tae be a fitba match the next day and folks were aa spikin aboot their teams.

Paul shouts oot, "Ye folks couldnae kick an airse."

The place suddenly silenced and an ominous silence cam doon upon the place. Uncle Jeff said guid night awfie quick tae the folks in the pub, teen Paul oot by the scruff o the neck and kicked his airse hard.

"Are ye mad, Paul? Dinnae start causing trouble wi the locals and never miscaw anither man's fitba team. Dae ye want us aa killed?"

"Ye are an ex-commando! Ye could easy hae ony o them," replied Paul.

"It's nae a case o fechting mi wye oot o a scrap, ye fool, it's trying tae avoid trouble wi the natives."

"Yer uncle's right, Paul. Wi could aa hae gotten a sair face for yer folly," said Peter.

"I'm awfie sorry, boss. I'm jist a wee bittie fu, so I'll keep mi trap shut. I mean that, cos I'm nae gan tae sae anither word. That's right Uncle Jeff, I'll nae sae anither word."

Weel for a lad that wis nae saying anither word, he blethered and blethered aa the wye back tae the hoose.

By the time the van came back tae the gate, Paul wis feeling seek. The men were slowly walking the road back tae the hoose whin Paul cries, "Uncle Jeff, yer nae gan tae leave mi by mysel in this creepy wid."

Jeff stopped and waited until Paul wis seek and then he caught up wi the rest o the crew.

"I feel a lot better noo wi aa that rubbish aff mi stomach."

"Ye drank far too muckle beer in the pub," cried Jeff.

Whin they entered the hoose that horrible stench hit them in the face eence mair. It wisnae very pleasant.

Doug wint ben tae the scullery and he found a caddie o tea and some tinned milk and sugar.

"Noo wid ye believe it. Naething but the best for us. Earl Grey tea. I hae never tasted that blend afore cos it's only the toffs wha drink that," said Doug. He proceeded tae mak an infusion o the Earl Grey tea and whin it wis ready he poored it oot intae nice white mugs that were in the scullery.

Peter teen a moothfae and thought is wis refreshing, whilst Doug added that a body wid hae tae aquire a taste for sic a brew. Uncle Jeff wis indifferent but Paul said he wid let his cup o tea cool doon a bit afore sampling its delightful taste. Whin it wis cool enough Paul teen a wee moothfae and sweeled it roon his tastebuds and then unceremoniously spat it oot upon the widden floor.

"Perfumed pish, that's whit it is!" he cried oot disgustedly.

"Whit an ungrateful loon ye are, Paul," cried Peter. "I'm awa tae mi bed and I'm taking the room upstairs tae the left."

"That's a guid idea," cried Doug, "I'll tak the room on the right."

Baith men wint upstairs tae their beds.

"Weel, I'll tak the big room aff the lobby and ye can hae the wee room, Paul," said Uncle Jeff.

Paul wint ben tae the wee room and it looked awfie creepie and so he came rinnin back tae his uncle and cried, "Is it aa right if I sleep beside ye,

Uncle Jeff? cos I'm feart ben intae that lonely eerie room."

Uncle Jeff killed himsel laughing, "Are ye sure that ye dinnae fancy me — are ye a poof?"

"I'm really scared o that room," and he came right ower tae Jeff's bed. Uncle Jeff pulled up the sheets tae let Paul in beside himsel and said, "Noo, wi hae tae get up early in the morning and I need mi sleep, so nae blethering or I'll gie ye a Glesga kiss and pit ye oot for the count."

"I feel safe aside ye cos I ken ye can handle yersel."

"Come on, Paul. Nae bletherin. Nae fidgetin. Jist gang tae sleep. Please."

Soon nearly aabody wis asleep, except for Uncle Jeff wha couldnae get peace for Paul nattering.

"Dae ye ken whit day this is, Uncle Jeff?"

"Please, Paul, I'm gan tae swing for ye. Whit a mooth ye hae. OK whit day is it?"

"It's Friday the thirteenth. It's a Black Friday."

"Superstitious nonsense. Noo I'm awa tae sleep so SHUT UP!"

Paul kent Uncle Jeff wis getting annoyed so he never said anither word. Through the nicht strange nocturnal sounds were heard, creaking and cracking aa through the hoose. The horrible smell still lingered and ye felt ye could taste it. Then whin everybody fell asleep a deepening silence prevailed.

Uncle Jeff wis the first een tae waken up through the darkness o the night. Slowly he sat up, quietly nae tae arouse Paul, but at the very first movement Paul awoke as weel.

"Whit's wrang, Uncle Jeff?"

"O it's naething at aa. I jist thocht I heard a prowler gan aboot. I thocht I seen a shadow o a tall man lurkin by."

Paul gasped, "It's maybe the phantom throat-cutter."

"I'll gang an hae a look at the front door."

"Dinnae leave me here by masel tae be murdered in mi bed by a raving maniac!" said Paul, following close in Jeff's footsteps.

Jeff opened the front door but there wis naebody tae be seen. The stench wis really thick and it seemed tae rise wi the swamp mist.

Baith lads wint back tae their room.

"I must hae imagined it," said Uncle Jeff.

A wee whilie later Doug arose cos he thocht he heard twa bullet volleys gan aff. The sounds started him frae his slumber. Then for some queer reason his bed started tae move and squirm aboot him until the bedclaes fell aff. Doug felt there were ither presences in his bed wi him. He could hear slight moans and groans in his room. Aifter a couple o minutes it stopped and aathing wint quiet again. Jist the sickening smell lingered.

Next Peter awoke and he felt there wis something gan on ootside o his windae. Looking oot he thocht he spied a man hinging frae a tree. He glowered doon tae really see if it wis a dream or no. Yet something whit looked very much like a man wis suspended by the neck ontae a branch o a tree, even if it wis a figment o his imagination playing tricks on him.

Somehow everybody in the hoose wis affected by some ominous occurrence. Intae the morning they were aa fair glad tae get awa frae the hoose. It wis as if it were alive and it touched each o them in a particular wye.

Whin they came tae discuss their experiences it appeared as if they were aa party tae some kind o macabre event. Paul and Jeff thocht they saa somebody, while Doug felt folk in his room and Peter saw a hanging man. A different feeling hid bin through each o them and they discussed how the feelings they shared slightly differed.

Noo whin they wint up tae work upon the drawing room o the big hoose, the laird asked how they were.

Peter asked the laird if there were ony unusual history associated wi the hoose whar they hid bade and he telt them a horrific story.

During the war there were a young couple living in that hoose and the man hid joined up in the army. Then, for some unfounded reason he hid imagined his wife wis haeing an affair wi another man. Een late simmer evening he returned tae his hoose and he thought he saw his wife in bed wi another man, so he drew oot a gun and he killed them baith in the upstairs room tae the right o the stairs. Then tae his horror he discovered that it wis a young couple whom he didnae even ken, wha were watching the hoose for his wife wha wis away looking aifter her mither. Realising whit he hid deen, he then proceeded tae hang himsel on a tree jist ootside the room on the left.

It wis a tragic story. Peter then said tae the laird, "Weel, it's jist that we aa thought that we heard something. Paul and his Uncle Jeff saw a prowler and I saw a man hanging frae a tree and Doug felt as if there were folk wriggling aboot in his bed. According tae the story ye telt us I feel we hae hid a re enactment o the hale affair."

"Well, is that not extraordinarily coincidental!" replied the laird, "for last night wis indeed a Black Friday and those murders took place on a Black Friday exactly eight years ago. In fact they were always called the Black Friday Murders."

The men were a bit gob-smacked whin they heard the story. Each looked at een anither and realised there are strange things happen on the earth.

Then Paul shouts oot, "Fit's for dinner, Uncle Jeff? I need something tae taste mi mooth tae get rid o the smell in mi throat aff that clatty bog-infested hoose and the taste o the awfie Earl Grey tea." At least that set them aa laughing eence again.

THE AULD MAN O STRATHDON

Mony years ago there bade up in the hills beyond Strathdon an auld man cawed Rab. Noo he bade his leaf alane in a wee smaa cottar hoosie, aboot a mile frae a clachan. Though he hid bin a widower for aboot fifteen years Rab never ever re-mairried cos he hid dearly loved his late wife Martha and he never felt lonely cos sometimes he felt the veil between her and himsel wis sae thin at times that he could almost feel her hand. Content wi life, Rab kept up his hermit style, though he aye kept busy daeing things so that his mind wis active and his body in guid condition.

He wis self sufficient and grew his ain vegetables and he wis nimble at makin things wi his hands.

Intae the wee clachan doon the mountain track Rab hid some faimily. He didnae like tae impose upon his folks so he kept himsel tae himsel. Annie his grandochter used tae visit her granda a lot and he wis aye glad tae see her, and she wid bring aa the news.

Ontae a Christmas Eve Annie wis helping her granda tae clean and prepare his dinner for the next day. She peeled tatties while he plucked his hen and did wee odds and ends for the festive celebrations. Annie says tae him, "Granda, why dae ye nae come and spend Christmas dinner wi us doon in the clachan?"

"Na, na, deary. I'm very happy on mi toad cos I feel as if yer Granma Martha is aye wi mi, so ye see I am quite happy being alane. But maybe next year I will come doon tae the clachan," he replied.

Ootside there looked as if an awfie bad storm wis appearing, so he telt Annie tae gang hame afore the storm started properly. So Annie bade her granda goodbye and wint oot doon the road tae the clachan. The lassie wis aboot quarter o a mile doon the track whin she spied a tall figure o a man dressed in a lang black cloak and in een hand he wis cairrying a scythe and in the ither an hourglass.

The strange fearsome-looking gadgie pointed his lang bony finger at her and shouted oot wi a loud voice,

"Gan back and tell yer grandfaither that tomorrow I shall call upon him."

Annie almost froze wi fear cos she kent weel wha this stranger on the mountain wis.

Turning aboot she rin like the living wind back tae her grandfaither's hoose. On entering she fumbled and stammered and fair choked for breath.

"Whit on earth ill ails ye, lassie?" her grandfaither asked.

"O granda, I hiv jist met Death and he said that taemorrow he will come for ye."

The words wint through his heart like a knife, but he jist smiled and said, "Weel, if he is coming for mi then there is naething I can dae tae combat him. He disnae ask whit age or sex ye are. Weel, if mi time here on earth is deen then it is deen," he said.

"Granda, come on doon tae the clachan wi me and spend the last few hours being happy wi yer kinsfolk," she pleaded.

"I didnae feel seek and I am no in pain, so that alane is a blessing. I'm nae an ancient man and I thocht I wid hae hid a few mair years yet. Nevertheless I resolve tae meet mi fate here and on mi ain in the morning," he announced.

The wee lassie eventually wint hame in tears though her granda assured her that he wisnae feart and that she should tell her folks tae come back in a couple o days when it wid be aa ower. Annie wis back doon the track afore the gales started.

Alane in the hoose, the auld man looked ower aa the bits and pieces he hid collected in life. Why there wisnae naething o ony real value but jist a few sentimental objects that reminded him on happier days wi Martha. He said tae himsel, "I am nae gan tae be feart, cos I hiv hid a guid life and monies the peer sowel wha's never reached even a half o mi years, so I hae muckle tae be grateful for. Taemorrow I will join Martha and I wonder whit adventures await for me beyond the veil." Mony ither thochts ran through his brain box and he wint oot for a walk jist afore the storm blew and watched the gentle snawflakes swirl roon aboot him.

He enjoyed his short walk before the storm and wi mony logs lying at the fireside he fair packed up the fire so it wid burn aa night and keep the place warm. That night he wint tae his bed wi his ain thochts and he fell intae a beautiful restful slumber.

The strong roaring winds coming doon his lum battered against doors and windaes and wakened him up. A fine smell o savory things came tae his nostrils and minded him upon whit day it wis. It wis Christmas and indeed a rather special yin. Still, naething wis gan tae stop him makin his dinner. Death or nae Death, he wis determined tae hae this special dinner, so he got his fire weel-stocked up and the side-ovens aa warm and he cooked his soup, which wis half prepared frae the day afore. He then sorted oot aathing, frae the chicken tae the plum pudding doon tae the auld bottle o wine he hid kept by for a very special occasion — and today wis a very special occasion!

His great big clock struck twelve noon and Rab hid aa the dinner ready tae pit doon, whin suddenly three loud sharp knocks rang oot ower the cottage. Rab kent weel wha wis at the door. He opened it tae a cauld blast o arctic wind accompanied by a swathe o swirling snaw. Death stood ootside also and Rab said, "Welcome tae mi hoose, Death."

Death entered wi his lang black cloak and scythe and his hour-glass.

"How lang dae wi hae?" he asked Death.

Death took the hour-glass and thumped it upon the table and shouted, "Until the sands o time rins through this glass. That is how long wi hae."

"Wid I hae time tae eat mi Christmas dinner?" the auld man asked.

"Aye, ye will hae time tae eat yer Christmas dinner," Death replied.

"Wid ye like tae share this Christmas dinner wi me?" the auld man asked.

"If ye hae plenty tae share, then I will gladly accept your offer."

"Then come sit doon by the side o mi fire and gie yersel a heat and I will serve ye yer dinner."

Death pit his scythe ontae the side o a dresser and he sat doon by the side o the fire. The auld man served him his soup, then the chicken and vegetables and the fine plum puddin and gaed him a glass o the reserved wine.

Baith Rab and Death sat and blethered awa like

twa auld freens. There wisnae naething that really fearsome aboot Death, he seemed warm and friendly and he jist hid a job tae dae like aabody else.

Rab looked at the last o the sands o time faaing through the hour-glass and then Death shouted, "Auld man, it is time tae go."

Pittin on his warm thick winter coat, Rab opened the door for Death tae gang oot first. Eence again the cauld icy blasts blew through the cottage and Death stepped oot o the hoose wi Rab following him.

"Weel, I ken somebody will get the use o mi cottage and I hope the next folks will hae as mony happy times as I hae hid," Rab thocht tae himsel as he followed in Death's footsteps. His mind wis harrowing up mony thochts whin suddenly Death stopped, turned aroon and looked straight intae Rab's face and bellowed, "Auld man, why are ye following me?"

Rab wis taken aback wi surprise, "Surely ye ken why! Mi grandochter Annie telt mi thet she met ye on the mountainside last night and ye said tae her that today ye were coming for mc."

"Not at aa! Certainly, I telt Annie that I wis gan tae call upon ye. For I kent that being in this pairt o the world today wis gan tae be a terribly cauld stormy day and that if I stopped at yer door ye wid hae invited mi in like ye wid tae ony stranger wha came tae yer door. I kent ye wid tak mi in and gie mi a heat at yer fire and share yer dinner wi mi. Noo, auld man, ye are very healthy in spirit and body and ye hae mony years left tae enjoy the cottage, so whin I dae finally come for ye, why I will jist be an auld freen. I'm noo awa further alang this mountainside tae whar there is a peer cratur o a woman wha's bin bedridden for twenty years. Mony years she his waited for me tae call upon her. Every bane in her body racks wi severe pain and shc will be sae glad tae see mi today whin I call upon her. Ye see whin I lift her up she will nae langer be an auld useless object o a woman but free o pain and feel jist like a young girl again. Aye, she will be very happy for, ye see, taenight that auld woman will hae her Christmas dinner wi the angels in Heaven!"

Death then departed on his journey, leaving the auld man tae enjoy his cottage for anither puckly years mair. And ye can maybe imagine whit a glad surprise his grandochter hid twa days later whin she came by expecting tae deal wi a corpse!

THE CORPSE
THAT WALKED

It wis during the last year o Queen Victoria whin
Alice and John kept their big hoose jist a mile oot o
Aiberdeen. Alice kept a really spotless place and
her man John maintained the gairdens and
grounds o the hoose. They hid een servant skiffie
lassie and she attended tae the menial chores o
the hoose but atween them aa, everything ticked
ower nicely.

Alice hid a passion for collecting antiques. She
hid gold, copper, pewter, brass and siller orna-

ments and maist o them were collector's pieces. Each ornament wis cleaned and thoroughly polished aye day. Alice wis very prood o her collection and as for the hoose, weel there were nine large bedrooms and mony smaa box-rooms, pantries and glory holes. It wis her resident guests that brought in her guid income. Each yin o them wis an ex-army officer, so the hoose wis full o majors, captains, colonels and she even hid a general amongst them. Weel-disciplined wyes ruled the hoose. Meals were aye prompt and there were certain hoose rules that hid tae be adhered tae. For instance cards were played on a Monday night whilst chess wid be on a Tuesday. Each day hid a different procedure but they were aa the same in keeping rigidly tae their time-slots.

It wis a weel run happy hoosehold and the guests seemed tae conform tae the discipline o it. Complaints were made very seldom aboot onything and Alice wis a guid hoosekeeper and a hard worker.

A reunion for aa the elderly ex-army officers wis gan tae be held in Edinburgh Castle and aa the auld men were invited. Strangely enough aa the men in her hoose were weel in health and so naebody wis gan tae be left tae bide in Aiberdeen for those few days. And then suddenly, a few days afore the Edinburgh reunion, een o the elderly gentlemen died owernicht o a heart attack and that meant that there wis a vacant room in the hoose. Surprisingly, the next morning, a young gentleman, very smairtly dressed, came tae the door o the big hoose and rang the bell. Alice answered it and enquired o the young man,

"Whit dae ye want, sir?"

"I hear ye hae a vacant room, so I thocht that I wid apply for the room," he answered.

"O, I am very sorry, sir," she replied, "ye see, I only cater for ex-army officers. I never tak in ither guests and ye look rather young tae be at a place like this."

"Actually, I am military. My name is Captain Robert Crawford, ex The Queen's Bengal Rifles. Sadly, I wis wounded in a skirmish in India and that made service there no longer practical. Ye see, I noo hae business here in Aiberdeen and this place being jist oot o the city, I could use it fine as a base. I like seclusion. Money is no object, cos I am a man o much property wi an enterprise tae attend tae here in the city. Furthermore, it wid only be for a short term as I expect my business tae be concluded quite soon."

Eyeing him up and doon Alice couldnae help but admire his tall slender form and very dashing smile. He looked like a real gallant.

"Weel, if it's only for a short term then I'm sure we can manage ye in as a guest, but remember we hae very strict rules and they must be adhered tae."

Robert Crawford immediately agreed and so she let him see the room and he seemed awfy pleased. Fitting in richt awa wi the army officers Robert seemed tae settle doon and jist adapt tae the place like a regular guest. He wid play chess and listen tae stories o various campaigns and he wid also tell o some o his ain adventures in India.

The time o the reunion came and aa the auld men were whisked awa tae the station tae catch the train tae Edinburgh. That wis aabody barring Robert. He didnae mind being the only guest left and gettin special attention. Alice and John decided they wid mak a kind o a romantic weekend and let the skiffie lassie attend tae the chores o the hoose. It wisnae often they got time tae relax and so for this weekend onywye they were gan tae hae a fine wee dram taegither and jist catch up wi themsels.

It wis a Thursday night whin the men a wint awa and on the Friday morning Robert telt Alice he hid tae gang intae the toon tae try and get as much o his business deen as possible. John and Alice were very happy wi the break. Strang winds were raging that aifternoon and it looked like a bad storm wis brewing whin Robert came hame aboot three o clock in the aifternoon, and he looked very doon in the mooth. Noticing a strange woe begone look upon his face, Alice speired tae Robert, "Are ye aa right sir? ye seem tae be a trifle despondent."

"Ye are right, dear, I am sad and I dae feel very doon and depressed."

"Weel a trouble shared is a trouble halved," she said sympathetically.

"Ye are right again. Ye'll remember I telt ye that I hid an enterprise tae attend tae, well, I jist completed it. Ye see I am a very wealthy man and I hae a really large estate in the Borders and whin my parents died I wis left the whole estate, lock stock and barrel. But ye see I hae a younger brother called Ross and he wisnae left onything in the will. It must hae bin a matter o short sightedness, but he took great umbrage and he fell oot wi me. Our departure wis a cruel een. I wid hae gladly gien him the half o aathing cos I love my brother, but he couldnae be reconciled. He left wi hatred in his heart for me although I bore him no grudge. He vanished completely and eventually I hired a private detective tae find him. The last reports I received frae this detective wis that he hid come up tae Aberdeen, and so I followed him here. Well, today I foond him. My brother, wha wis a gentleman by rank, lay dying on a cold filthy fleer o the poorhouse. It breaks my heart cos he died in my arms." He paused momentarily.

Alice blurted in, "Is there nae onything we can dae for ye? — jist name it!"

"Weel, yes, there is een request I wid ask o ye. Could ye let me tak my brither's body hame here so that at least he can hae the burial o a gentleman." She wis taken aback by sic a strange request.

"I will pay ye well for yer discomfort and aifter aa, ye hae nae guests living here meantime, and it will be ower by tomorrow morning whin the funeral will tak place," he added imploringly.

"Very weel, I shall fix up the lounge and yer brother Ross can rest his final hours there," she said.

"Thank ye very much. I wid like plenty o candles around him cos we are catholics and I wid like the full rites o the church tae be observed. I shall noo gan back tae the city straight awa and attend tae the funeral arrangements. Later in the evening I shall return, but if the undertaker brings back my brither's body afore I arrive, then please pit it in the lounge. I am ever so grateful tae ye for your unstinted kindness."

Aff he ventured intae the storm on a very handsome horse and buggy.

Later in the aifterneen an undertaker came wi the cortege and four magnificent horses, and they cairried in the coffin o the young fella. It wis an awfie large coffin and the undertaker placed it next tae the french windae and then opened the coffin so the brither could pay his last respects whin he came hame. Though the blinds were doon the maist awfie lashings of rain were heard swishing doon against the windae.

Candles were lit and the folks in the hoose then attended tae whit needed tae be deen. As for the corpse, weel it looked really horrible, being aa stiff and the een still opened wide. John pit twa pennies upon the een, cos he looked gey scary and the creepy storm didnae help maitters. At last the door o the lounge wis locked. Alice telt the skiffie that whin the young man came hame she wis tae tak him ben tae the lounge so that he could pay his last respects. The skiffie lassie wis a bittie feart, but John reassured her that the deid dinnae hurt onybody and that there wis nae sic a thing as a ghost.

Hoors passed by, the storm got worse and it wis noo aboot eight o clock at night whin Alice telt the lassie that they were gan awa up tae their room tae hae a wee drink tae themselves and that she wid hae tae wait up for Robert coming back. Nae only hid she tae dae that, but at ten o clock she wis tae gang ben tae the lounge tae mak sure that naething wis on fire, cos aifter aa there were a lot o candles burning. This terrified the quine.

Weel, ten o clock came and Robert still wisnae hame. Perhaps he might be detained cos o the storm, she thought tae hersel. The time hid come for her tae gan ben tae the room whar the corpse wis. Slowly she opened the door and made her wye tae the coffin. She felt roon aboot it. The storm rattled at the nearby french windaes.

The skiffie lassie trembled. Then a weird sepulchral sound emitted frae the corpse. Twa pennies fell aff the een and the skiffie lassie near drapped doon wi fear. Screaming oot like a banshee she ran richt up tae the room whar the man and woman were haeing their dram.

"It's alive, it's alive!" she screamed in sheer panic.

"Hiv ye bin at the cooking sherry?" John asked her.

"Na na, I tell ye it's moving and makin weird sounds," she blurted.

"Then I will tak a look and investigate yer funny noises that ye hae imagined," John said sarcastically.

Aff they wint doon tae the room and there wis naething oot o the ordinary. Aathing wis in place and the pennies were on the een.

"Ye are seeing naething there," John scolded. Suddenly the cat meowed. "Ye silly quine, ye hae locked the cat in the room and that wis the noise ye heard."

"Och, maybe it wis. I never minded on the cat," she said putting her hand tae her mooth in surprise.

Eleven o'clock came roon and still Robert hidnae returned. Again the skiffie wint ben tae the room tae see that aathing wis fine. Eence mair she approached the coffin and this time, as she walked by the side o the windae a hand came oot o the coffin and grabbed her airm. She screamed and it let her go. Panicking like a wild thing, she returned tae the man and woman wha were noo kind o inebriated. "Whit's wrang wi ye noo?" he snapped.

"It really is alive. He touched mi airm," she sobbed.

"Whit utter skitter ye speak. Hands coming oot o coffins! Fit next is gan tae happen tae ye. I think ye hae bin gan tae too mony creepy theatre nights," he scolded her eence mair.

Baith o them wint back tae the room and nae a stir wis heard.

"Too vivid an imagination. That's aa that's wrang. Look, whin it reaches twelve o'clock and Robert is nae hame then gang and get the snuffer and snuff oot the candles and lock the door and gang tae yer kip."

That wis the best news that shc hid heard aa nicht.

Robert never came hame and the skiffie lassie wint for the snuffer tae pit oot the candles. Whin she opened the room door there wis an awfie stench o death and candle incense. She approached een side o the coffin and pit oot some o the candles and then tae the ither side. There

wis only a couple left tae snuff oot whin a maist fearsome cry cam oot o the corpse's mooth. A huge leg and pairt o the shroud came oot ower the side o the coffin. The skiffie let faa the snuffer and run squealing mad and she wint right intae the man and woman's room. Her voice failed her.

"Can ye nae dae onything richt? I'll gang doon the stair and dae the job masel."

Noo by this time he wis gey fu. Weel, he opened the door and whit met his eyes nearly made him blooter himsel. For there, in full view in the dim candlelight, he saw the corpse rising oot o his coffin and moaning sair,

"Ah-h-h, ooa-h-h-gh..."

It wis horrible. It wis coming taewards him. In twa seconds he wis up intae the room alang wi his wife and the skiffie. Quickly he locked his door and he could hear moans and groans, clanging and banging. Grabbing the dressing table he forced it against the door and he teen every bit o furniture in the room tae bar the door and keep this corpse oot o their ain room. The bangings and thumpings and scrapings against the door wint through their heart. Something o blackest evil wis walking aa roon their hoose. The corpse came tae their door scraping and shouting,

"Let mi in cos I am as cauld as the grave!"

Aabody shouted oot in fear and cowered right doon in a corner o the room. The clanging and bangings and thumpings continued through the hale eerie night.

Aboot sax in the morning whin the very first

screiks o daylight were braking, the hoose seemed deidly quiet. The folks were still hunched taegither in horror. Wis it safe tae open the door? Each time they thocht it wis safe the awfie moaning wid start up again and truly it wis the ultimate terror. Sounds o hoofs coming up the avenue leading tae the big hoose were heard and they listened in shock. John wint tae the windae and behold he could see the undertaker and his cortege and horses. Whit a relief! They could be heard coming intae the hoose and each person listened eagerly. John looked oot o the windae again and noticed the undertaker and anither man cairrying oot the coffin, but sprawled upon the top o it wis the corpse. He wis a big man and he wis cairred oot intae the cortege. Then, like the living wind, they drove awa.

It wis like the end o a horrible nightmare. Yet they were aa too scared tae mak a move. Pure silence wint aa through the hoose. Ye wid hae heard a penny drap. John eventually thocht that it wis noo safe enough tae hae a gander roon the hoose. Taegither they pussy-footed oot o the room and doon the stair. Tae their amazement, aa their silver, gold, bronze, pewter antiques were aa gone. Aye, they hid bin horribly robbed. They aa stood flabbergasted.

The police were sent for and the detective leading the inquiry speired tae Alice,

"Did a young man come tae yer door needing lodgings and aifer a wee while gie ye the deid brither routine?"

"Aye, that is whit happened and I believed him, cos he looked sae sweet and innocent."

"Weel I'm awfie sorry tae tell ye that ye hae bin the butt o a very evil con gang wha are very guid at impersonations. They are aa great actors and can bamboozle mony folk. The only consolation that ye hae is that ye are nae alane in yer plight, cos they hae deen it in Glesga, Edinburgh and even London. The only advice I can gie ye is tae beware o taking strangers intae yer hoose cos ye never ken wha's coming in. It could be Jack the Ripper for aa that ye ken."

Weel, aifter that Alice never teen in ony stranger or young guest. In fact ye hid tae be ower seventy afore ye even qualified as a possible guest and mony wis the question she wid ask o folk afore they could cross her doorstep.

THE PASSAGEWYE UNDER THE LOCH

If it wis a lie tae me then it is a lie tae ye. That wis the wye Ronnie telt mi the tale aboot the auld hoose he bade intae whin he wis a wee loon. I worked wi Ronnie in a fish-hoose mony eons ago and he liked tae spik aboot unusual things, especially aboot a place whar he bade. Een day wi were finished early and wi didnae hae the price o oor fags hame tae Woodside so we were jist trodgin hame. For a quick cut wi wint up through the Gallowgate and he showed mi the exact spot whar aboot the tenement hid stood. He wis quite excited telling me aboot the place. I liked ghostie stories and I liked seeing places wi stories attached tae them.

Ronnie pointed ower tae the spot whar the hoose stood but although it wis still stannin, it wis completely uninhabited and hidnae bin in use for donkeys o years. Whit follows is his story...

"There wis a lot o us bade intae that hoose and it wis really hard up times. I mind gan tae the auld breeders tae get foostie loaf and biscuits for mi mither. The times were bad during the great depression but there wis a lot o happy times as weel and mi childhood memories are o nostalgia.

Noo the hoose hid a big deep-sunk well and it wis full o auld dark clatty musty cellars. Ye needed a candle tae see onything and the air wis very mochy and the atmosphere dark and dreich. It wis gey fearsome as weel cos it reminded ye on an auld castle. Mi faither used tae tell us creepy stories and I often used tae like tae investigate doon there cos I aye thocht that I wid fin something o value. Sometimes wi wid fin auld nicknacks and books. I never really wis feart doon there cos I aye wint doon intae the sunks but mi parents didnae like mi gan doon there in case I got lost.

The maist fearsome pairt wis a really lang dark gruesome tunnel that seemed tae rin on forever. Wi used tae caw it the Monks Tunnel, cos there wis a labyrinth o tunnels that must hae wint tae different places and were probably used at a time afore, but they hidnae bin used for sic a lang time. Me and some o mi pals aye wint aboot exploring and often wi got lost. The maist unusual thing that wid happen wis that oor candles wid aye blaw oot cos there were funny winds blawing constantly doon intae the bowels o the earth.

I dinnae think folks bade doon intae the tunnels, but there must hae bin secret passagewyes for strange purposes.

Ayc time whin I wis a bairn, I wis playing doon there wi mi chinas and wi were playing a game o spooks and coppers and the spooks got their innins first and the coppers got tae chase aifter them. Noo, I wis a copper so I hid tae bide in the dell until aa the spooks were awa and then I wld chase aifter them through this maze o tunnels until I wid fin them. It wis a bit like leavio. Weel, I hid a wee torch wi mi and I felt like Airchie cos nane o mi mates hid a torch and it wis a bit o a novelty. Aabody else hid only candles and wi candles they cast creepy flickering images everywhere and it made it hard tae catch onybody, but wi a torch the shadows werc mair vivid and ycr visibility mair clear. Mi pals were hiding and well-concealed and I raked aa ower the place for them. Some o the loons wint upstairs and the ithers scattered roon the tunnels.

It sae happened that I foon a loon doon the stairs and I caught him and made him mi prisoner. The baith o us heard a noise coming frae the lang tunnel and I thocht that een o the loons wis braving the deep lang een. Naebody really wint alang that yin cos it wis far too lang and smelly. Ye seemed tae tak the foul yome wi ye and it fair clung ontae yer claes like a doze o carbuncles. Believe me there were langtails and great big spiders doon there. Even wi a torch ye hid tae really hae bravado tae venture awa alang that tunnel.

Weel, mi and mi prisoner wint in aifter this ither loon that wis hiding doon there and wi could hear his footsteps echoing roon the tunnel. The sounds were very eerie and I wis getting a bittie feart. Mi prisoner said that it wis Rotners wha wis hiding doon this tunnel cos he wisnae feart o onything. Weel, if I could catch Robbie Rotner then that wid be a great dare tae the rest o mi pals. We persevered aifter him. We must hae bin half a mile under this tunel whin I saa him. He wis aboot twenty feet frae mi, and mi prisoner o the game shouted oot for Rotner tae get awa. But instead he turned and cam taewards us and whit a richt fear wi baith got.

Whin it cam closer, the figure wisnae Rotner at aa — it wis a tall hooded figure like an auld monk or a priest wi a lamp in his hand. The being walked richt past us and we felt a cauld wind as he passed by. It wis like a phantom oot o a creepy picture. The laddie wha wis mi prisoner near fainted and wi baith panicked. Tae mak things worse I let mi torch faa and the licht broke. Within the pitch darkness wi could hear the creepy voices o folks moaning. Wi started tae scream and luckily I trod on mi torch and fumbled wi it and it gaed oot a wee peep o licht. Noo wi baith run oot and we were screaming oot o us like banshees. The ithers came oot tae see why we were screaming and mi mither cam oot cos she thocht I hid got hurt. Whit a crack in the lug she gaed mi for near shifting her heart. She said it wis mi ain fault for gan intae that lang dangerous place.

Somehow I niver learned that lesson. Wi still kept playing doon intae the sunks and smaa tunnels though I niver wint intae that lang tunnel again. The furthest I wid venture wis tac the mooth o it. There wis an unholy aura used tae cam aff o it and even playing at the mooth o it ye could hear uncanny noises.

Aye day I got speakin tae an auld mannie wha must hae bin a hunder if he wis a day, and he telt mi the maist unusual story. He telt mi there were mony tunnels underneath the Gallowgate and some o them used tae be underground cloisters and secret passagewyes, taegither they made a mass o maizes underneath the ground. These tunnels wint in different directions and some wint tae the auld Carmelite monastery. The big tunnel he said wis the oddest o aa cos that wis the Death tunnel. Mi heart wint richt tae mi mooth whin he said that and I telt him aboot the time whin I hid seen the spectre doon there wi ccn o mi pals. The auld man wint on tae explain that lang ago, whin the Gallowgate wis a hanging spot, folks used tae get teen frae the Tollhoose in the Lodge Walk tae be hanged.

At that time there wis a loch behind the Gallowgate which teen ower aa the land roon aboot whar Loch Street noo stands and aa that back o the Gallowgate wis the waater o the loch.

That wis the reason why aa the hooses hid sic deep sunks underneath their hooses whin the waater wis drained awa, and why the tunnels became wyes for folks tae tak shortcuts. But this langest tunnel wis a secret yin that teen prisoners frae the Tolbooth and it wint richt underneath the streets and teen the condemned prisoners richt oot tae the spot whar the gibbet o the gallows hid stood. That wye wis convenient cos it meant that there werenae hunders o folks looking at prisoners gan tae their doom. Whar the gallows hid stood wis maybe richt close tae whar mi hoose wis, and whin the auld man showed mi the exact spot, sure enough it wis richt across the road fae whar I bade. Nae wonder the place wis creepy, wi a history o folks walking alang tae meet the hangman.

The auld man telt me a wee story as weel aboot a man wha aye dressed up intae the habit o a monk and wha got hanged. He aye swore he wis innocent and that he wid never fin rest until his name wis cleared. He wis teen doon through the lang tunnel tae the gallows and tae mak things worse the executioner wis his brither. He kent his brither wid be guilty o murder cos he wis an innocent man."

A creepy tale but surely there micht be an element o truth somewye in it.

So if ye are ever walking up the Gallowgate and think upon whar the loch eence stood, perhaps ye micht hear the wailing voices o the folks that eence walked the tunnels underneath the streets tae their doom.

THE PLUSFOURS SUIT

Richt bonnie smells wafted gently in the air at this particular bittie on the banks o the burn. The source wis frae the rows o sweet sicily that grew thick jist there. The scent teen yer breath awa and Willis liked it fine. His sense o smell wis fairly sharpened wi the aniseed and he liked tae chew the stalks o sweet sicily and feel the aniseed dree doon his throat. He aye minded his auld gypsy mither telling him that aniseed purified the bleed and helped the digestive juices in the stomach.

Life wis fine and free for Willis and he niver complicated it wi coortin ower much. Somehow he liked the free life and up tae noo nae woman hid managed tae hud him doon. He wanted tae hae the life o a bachelor so he could dae as he liked and wid hae tae answer tae naebody. Being a bachelor, Willis made his life like the birds, makin his bed whar he pleased and watchin the stars at nicht. Casiopia, the Plough, and Ursa Major were aa freens tae him and he kent their stories and sometimes he telt the folks bairns aboot them.

Roon and aboot the Deeside Willis wis well kent and he could turn his hand tae onything. Sometimes he wid sharpen axes or knives or else he wid work on the land. Anither trade he enjoyed daeing wis selling claes roon the hooses, cos country folks in the early fifties didnae gang intae Aiberdeen that often, so Willis wid buy claes frae the Castlegate Mairket and work upon them until they were aa clean and ironed. Noo he hid a guid custom in that area and he made a fine livin for himsel. He wis weel turned oot and his mainners were richt canty. Big suits and frocks were aye a guid sale in the country cos the fairm workers tended tae be strang folk and gey big built.

Een day he wis walking near the pairt o the burn whar he aye teen in the bonnie sicily aromas, whin he spied a mannie o aboot thirty year auld wha wis rigged up in riding breeches, a green tunic and cairrying a wheep in his hand. Coming up tae Willis, the mannie said in a very toff-like mainner,

"Wha gaed ye permission tae walk alang this private road?"

Willis replied, "Maister Smith telt me, if ye please."

Willis wis being a bittie sarcastic, cos Mr Smith wis himsel. Aye, his name wis Willis Smith.

Then the mannie smiled, "Weel, if Maister Smith gaed ye permission then that is aa richt wi me".

Smiling under his breath Willis tried hard tae keep a straight face.

"Whit's in yer pack that's sae weel and bonnie wrapped up wi yon leather straps?" asked the mannie.

"I'm a packman. I sell suits and claes aroon aa the hooses o the area," replied Willis.

"So yer een o the Romanies? I can see by yer awfie dark een."

"Aye, I'm that," said Willis.

"Weel, it jist sae happens that I'm looking for a pair o plusfours. Ye widnae happen tae hae sic an article in yer pack?"

"Weel, folk wantin plusfours is nae aa that common, but if I see a pair in my traivels I will certainly buy them for ye," replied Willis.

"As ye can see, I'm slim pit up and likely wid tak the same size as yersel. So if ye dae come across yin dinnae hesitate tae call upon mi hoose. I bide aboot a mile frae the spot on the private road near a small loch. It's an auld hunting lodge so ye cannae miss it. I'll say cheerio for noo and hope tae see ye in the near future."

So Willis continued on his wye, selling things

aroon the hooses.

Next week in Aiberdeen mairket he seen an auld Harris tweed suit but the troosers were aa perished fae the knees doon. He bought it for half a croon and being real deft wi his hands, Willis teen it hame and wint tae work on it. The suit hid lang troosers but Willis judged the length on himsel cos he kent the toff mannie fa wis tae get the suit wis gey near aboot the same build as himsel.

Baith o them were slim pit up and maybe they were aboot the same age. Willis cut aff the trooser legs fae below the knee and wi the guid cloot he pit on smaa leather knee-straps. In the same wye he pit leather elbow-pads on the jacket and fin he wis finished it looked super. He hid deen a real professional job on the auld suit. For a half croon he hid noo made thirty shillin. The plusfour suit wis a bargain and naebody wid ever suspect that it wis a hame-made een.

Soon aifter he wint oot tae whar the gentleman lived and passed by his favourite spot and cairried richt on until he foond the hunting lodge. It wis very auld and hid twa high towers on it. There were only aboot three rooms but the place hid a grand aura roond it. It wisnae often that Willis liked hooses but he did like this hunting lodge. Aa aroon were wee gairdens whit reached richt doon tae the sides o a smaa loch. Yet the hoose seemed silent and aa on its ain, being oot o sight frae stranger's een, and Willis felt real privileged tae caa at it. A great big brass piper-knocker fair stood oot against the muckle door. Huddin his breath,

Willis chapped the piper-knocker ontae the door and the noise echoed throughoot the lodge as if a world tae the unknown wis aboot tae open. Tae Willis's dismay naebody answered the door.

"Curses and fiery ends!" shouted Willis, cos he hid a quick nature and hated haeing tae come sae far and nae mak a sale and he needed the thirty shillin. Seeing that naebody wis answering the door Willis thocht he wid look aroon the back. Then he saw her. A braw, tall, slim quinie, wi beautiful broon hair, wis hanging up claes on a washing line. Nae wanting tae startle the quine he cried oot, "Is the maister o the hoose at hame? Cos I hae some business wi him." The quine turned roon and Willis could see her true beauty afore

him. Willis asked her a puckle o questions tae which she replied,

"My brither Eric is no at hame jist noo cos he his tae attend tae mony things ontae the estate. He'll nae be hame until supper time. I'm awfie sorry ye've missed him — does he owe ye money?"

"Weel, nae exactly. I hae a plusfours suit wi me that he asked me tae get for him, so I'll jist leave it wi ye and tell him that it costs thirty shillin. I can easy caa back tomorrow for the money. Maybe he'll no like it?"

She smiled and said, "I'm sure he will tak it cos it looks awfie smart. Eric aye likes tae look real braw. He his a fore and aft hat very much like that suit. I tell ye — I'll pay ye the thirty shillings and Eric can gie it back whin he comes hame."

"Ye dae not hae tae, Miss. I can easily caa back again."

"Not at aa." She teen a pound and a ten shilling note and gaed it tae Willis, wha reluctantly accepted it.

"Noo, wid ye like a fine cup o tea and een o my delicious scones. I hae newly baked them."

"Thank ye, Miss. That's awfie guid o ye," replied Willis.

"Dinnae caa me miss, even though I'm nae mairried, cos it soonds ower formal. Jist call me Irena. I come frae Edinburgh whar I teach the fiddle at a Music Conservatory for quines."

Willis wis delighted.

"I play the fiddle an aa," he fairly cried oot.

"Then ye'll hae tae gie me a tune!" She picked

up her fiddle case and teen oot a maist highly polished Hoff violin. Willis wis surprised. Shyly he took it frae her and started tae play. Noo Willis wis nae duff player and could play grand gypsy airs he hid learned frae his folks and a medley o amazingly difficult tunes. Irena clapped like onything.

"Ye hae a great natural capacity for music. Mi talent wis jist drummed intac me."

"Please, let me hear ye play," requested Willis. Irena started tae play Bach's movin air in G and it brocht tears tae the een o Willis. Indeed it wis perfectly played and a shiver wint doon his spine for truly she hid the 'maisie' wi her.

Irena continued wi a selection o classical pieces and ilka tune thrilled Willis until he could hardly contain himsel. Whin she finished Willis shouted, "Bravo!" several times and Irena smiled kind o

shyly. "I hae never heard sic bonnie music," remarked Willis truthfully.

"In the Conservatory in Edinburgh there are mony wonderful players," replied Irena.

The music seemed tae fuse their souls taegither and they were teen on wi each ither's talent. A moment o twa passed and a strange silence cam doon until the stillness wis broken.

"The tea an scones!" cried Irena. "Please forgive me for bein forgetful. Ye must think me an awfie host."

"Nae at aa! I wis sae engrossed in yer music I hid forgot aa aboot the tea."

Irena gaed through tae the scullery tae prepare a grand tea for Willis and cam back oot wi it. Something beautiful wis developing atween them. Even though their backgrounds were that different a sweet sensation wis growin and they talked lang hoors and enjoyed each ither's company. The time sailed by and whin the Westminster chime struck seven o'clock Willis jumped tae his feet,

"Oh, I didnae realise that the time hid wint by sae quickly. I hae tae catch mi bus back tae Aiberdeen."

Irena wint through for her purse and gaed him an extra half-croon.

"Fit is this for?" he asked.

"It's a tip for playing me sic lovely tunes ontae the fiddle."

"Can I come back and visit ye again, Irena?"

"Aye, ye can but please be careful, cos my brother Eric is very protective o me and disnae like onybody else showing me affection."

"But ye are a beautiful woman, surely ye must hae mony suitors?"

"Eric chases awa ony admirers. He's jealous and coorse tae me," sighed Irena.

"I'll visit ye secretly. Tell me whit time Eric gaes oot and I'll come tae ye at special times. I ken that I hae only jist met ye but mi heart has never behaved like this afore. I love ye Irena. I cannae help mysel. Nae ither woman has hid sic an effect on mi."

"I've felt a warm glow working inside o me an aa," replied Irena.

Willis passionately kissed her. They looked at each ither and kissed again. Willis then gaed awa tae catch his bus. "I will return soon."

"I'll count the minutes until ye come back tae me," responded Irena.

Barely a week hid passed afore Willis retraced his steps back tae the lodge. Carefully he approached it, makin sure that Eric wis awa and Irena wis on her ain. Mony times they met tae-gither in clandestine rendezvous. They hid tae be careful that naebody saw them cos they might tell Eric. It hid tae happen that Eric wid eventually find oot aboot them and wi their backgrounds being sac different they wid not be a suitable match as far as Eric wis concerned, but in the een o love they were perfect.

Een day it happened. Irena and Willis were lying doon on a bank and they were happy frolicking taegither. Although he hid kissed her a doze o times Irena wis decent and they niver entered intae onything too heavy. She aye telt him tae stop whin she thocht that he hid ventured a bittie ower the top and Willis behaved like a gentleman whin Irena telt him tae stop. An auld woman wha kent Eric wis passing by whin she spied them taegither. Irena wis horrified,

"She'll tell Eric and I'll be sent back tae Edinburgh."

"I dinnae think she really recognised us. It wis a distance awa," Willis said tae reassure her.

Irena greeted sairly, "I ken fine she will tell Eric."

Willis smiled and comforted Irena. "I dinnae care fit Eric thinks. I want tae mairry ye and naebody will stop me," shouted Willis boldly.

Irena whimpered like a feart puppy.

Eence mair Willis bade her cheerio and telt her he wid be back again the morn.

During the nicht Willis felt an awfie strange heaviness sweep ower him. He felt something wis terribly wrang. He couldnae get oot tae see Irena quick enough, yet this weird feeling stayed wi him as he walked alang the road tae the auld hunting lodge. As he cam tae it he saw Eric waving a stick and he wis red wi rage. Maybe the auld woman hid telt Eric that he wis wooing his sister. But whit the hell wis Willis caring aboot Eric. Willis wid mak him eat the stick and he wid soon let him hae it. It wis now the fifties and no the days o yore.

Coming close tae Eric, Willis wis ready tae defend himsel. Eric wis furious.

"Ye Gyppo! How dare ye come up tae mi hame and cairry on wi my sister. Ye were spotted on the bank by an auld woman wha reported the filthy incident tae me!" Eric screamed on and caaed Willis aa manner o immoral things.

"That auld wifie is a stupid auld coo! She wis as blind as a bat and she niver saa onything o the sort," retorted Willis angrily.

"Mi sister is a decent woman but ye hae made her a hizzie."

"Dinnae be stupid. Ye are listening tae the ravings o an auld witch," said Willis.

"I am sending Irena back tae Edinburgh the morn so she will be safe frae coorse men like ye. Yer nae gettin tae see her again and if ye dae I will kill ye."

"I'm afraid that yer nae the man tae kill me. I'm feart o no man and ye are naething startling. I love Irena and I'll see her again supposing I hae tae gan tae Edinburgh tae meet her — but I shall see her again."

"Then I will send fae the police and hae ye teen awa for trespassing and I'll mak sure ye get pit awa," yelled Eric.

"Dae whit ye will but I will see Irena again!"

shouted Willis even mair defiantly. Willis gaed awa then, for he didnae want tae get entangled wi the law wi him being a gypsy, cos it could prove difficult for him. He swore he wid come back in the evening whin he kent Eric wid be oot.

On returning that evening he spotted the same auld woman and Willis spoke tae her.

"Tell me, auld woman, whit pleasure can ye gain frae giein an evil report tae maister Eric aboot me and Miss Irena. We niver deen onything that wis wrong. We are twa young folk in love and ye wi your clacking tongue hae pit a spoke in oor wheel," and Willis ranted on and on.

The auld wifie looked puzzled and nearly burst intae tears. "Me, laddie, I niver seen onything or telt onybody onything! That Maister Eric is telling lies. I hae niver even spoken tae him. He is a queer mannie so I only gaither sticks for mi fire. Honestly, I niver spoke tae onybody or seen onything. Willis kent she wis speakin the truth and apologised tae the auld woman and wint on his wye.

Willis approached the lodge gey canny and checked oot tae see if Eric wis awa. He spied Irena packing a large case. He boldly shouted through the windae, "Is Eric aboot?"

Irena smiled and ran tae open the windae. "He is oot in the fields but he'll be back soon. Tomorrow he is sending me back tae Edinburgh. I will miss ye sae much, Willis. I love this place. It is so beautiful. Ye hae made sic a place in my heart. I dinnae ken whit tae dae whin I leave ye."

"I'll come tae Edinburgh as soon as I catch up wi mi folks. I maun let them ken that I'm gan tae Edinburgh or they'll worry aboot mi, but I will come tae Edinburgh sae we can be taegither," said Willis.

The case wis almost packed and the twa spoke through the window tae each ither. They spoke for aboot twenty minutes. Then Irena said, "I think I can hear Eric approaching."

"Kiss me afore I go, and I promise ye that I'll join ye soon in Edinburgh," cried Willis.

They looked at each ither quietly for a moment and their lips drew taegither. Irena's lips were awfie cold that nicht and some kind o repulsive shiver wint doon Willis' spine. It wis very weird. It felt as if some yin hid walked ower his grave. He couldnae understand it. Something wis far wrang and as a gypsy he wis awfie certain aboot it.

He bade Irena guidbye and he wint tae search for his folks tae let them ken that he wis gan tae stay in Edinburgh for a while.

Somehow there wis something awfie final aboot that kiss. It left a soor taste in his mooth. He felt he hid kissed death himsel.

He searched aboot for his folks and eventually foond them. He telt them o his new-foond love, and that it wis a forbidden love. He telt them o her brither's possessiveness o her and the animosity he hid against him for coorting his sister. They listened and telt him tae follow his heart and tae be sure tae keep in touch wi them.

Noo his auld grandmither Bethany wis listening

and she called him ower, "Willis, mi loon, I hae read the fire and I can see ye are in a dire strait. Keep tae yer ain kind o folks and ye'll nae gang far wrang. There is nae wedding for ye in Edinburgh and there is nae future wi that Irena. Aathing is wrang for ye and aa the portents are in the fire. There is only unhappiness and deep betrayal for ye wi Irena."

Willis telt Bethany aboot the kiss and the soor taste that it left in his mooth. Bethany wis a wise auld culloch and she gaed him mony words o wisdom and guid counsels that nicht. He thanked his grandmither for her wisdom.

"Yet I hae tae gie it anither go tae see if Irena is the een for me."

Weel, aboot a week passed by and Willis wis in the same area again and he heard the very disturbing news frae the local folk that Maister Eric hid bin killed in an accident. Apparently he hid bin crossing a country road whin he wis hit by a lorry. Willis felt really bad aboot it cos truly he didnae wish onything sae terrible tae befall the poor man. He wis full o emotions. It wis a dear price tae pay for the hand o Irena. Noo, wi Eric oot o the road there wis naething tae stop him winnin the hand o Irena. Still it wis a discomforting situation and there wis mony mixed emotions rinning through him. According tae the local folk the funeral wis tae tak place the following Wednesday. There were supposed tae be mony relatives coming frae Edinburgh tae the funeral and Eric hid a small estate tae be sorted oot. At least Irena wid be back for the funeral. Willis decided that he wid gan tae it and pay his last respects tae Eric. He didnae wish tae harbour bad feelings. He wished that he hid made freens wi Eric. It wis aa too late noo.

The day o the funeral arrived and Willis dressed himsel up richt weel in a smart black suit. He waited at the cemetery alang wi some o the locals cos he thought it wid hae bin too presumptuous tae gan tae the church. A large turnout came tae the graveyaird and there were mony relatives frae Edinburgh but nae sign o Irena. That wis maist odd. Maybe she wis ower sair wi grief tae attend the funeral and hid remained in Edinburgh until aa the estate hid bin settled.

There wis tae be tea served in a hotel in Banchory for the mourners aifter the service at the cemetery and aa were invited back tae it. Willis wint cos he wanted tae inquire aboot Irena.

An auld aunt wha looked real important seemed tae tak command o aathing, so Willis decided that he should speak tae her concerning Irena. He approached the auld wifie and gaed his condolences. She in return thanked him and they got chatting together. "Aa very tragic," she commented.

"How is Miss Irena takin it?" asked Willis.

The auld woman looked puzzled, "Irena, Irena wha?"

"Why! yer niece Irena, the sister o Eric."

A look o sheer bewilderment swept across the auld wifie's face.

"I hae a room booked in the hotel here and I wid like ye tae accompany me tae it whar we can talk mair privately."

So they wint upstairs tae a comfortable large room and the auld woman removed the black veil frae her hat and sat doon. "Tell mi, young man, aboot this Irena."

Willis telt the auld woman o his meeting wi Eric and the plusfour suit and then his association wi Irena. The aunt wis fair teen in wi the tale.

"This is maist disturbing tae mi, but I will hae tae shock ye noo. Perhaps ye should sit doon as whit I hae tae tell ye is awfie unpleasant. Believe mi, young man, there niver wis ony Irena".

Willis interrupted, "No, Mam, I seen her and touched her."

"Please let me finish. I hid a niece called Irena but she died whin she wis sax years o age. She wis a year younger than Eric and he wis very hurt whin Irena died. That wis weel ower twenty years ago. But let me continue. Ye see Eric niver wis completely normal. It wisnae his fault, but something that mither nature hid deen tae him. Whin he wis born we were aa happy cos we were telt he wis a loon, but then tae oor horror we were telt he wis a quine. Some unusual kind o mistake hid happened. The doctors then telt Eric's mither that he wis neither a loon nor a quine."

Willis' jaw dropped, "Whit are ye trying tae tell me?"

"It's nae awfy easy tae admit tae, but Eric wis an hermaphrodite."

"Fit's a hermaphrodite?" asked Willis.

"It is a body wha is born wi baith characteristics and genital organs. Sometimes he wis Eric and there were ither times he wid turn on the female. Maistly he wis a male and we encouraged him tae be a male. Whin Irena died Eric wis awfie disturbed and I presume he thocht o himsel as Irena. If his male side maistly showed, he did still hae the power tae change at will tae a female and he wis a real female. Maybe in his lonely hours Irena wis the nearest thing tae himsel."

"I loved Irena and I find it hard tae believe he wis a man," cried Willis.

"But he wis a woman whin he loved ye. Except that Eric kent everything that Irena desired and she kent everything aboot Eric, so they were inseparable identities. Eric didnae want Irena tae be hurt for he kent that ye wid hae soon discovered their secret. Eric wis very talented musically and he wanted tae gan tae the Conservatory o Music in Edinburgh, but he couldnae. He maistly showed himsel as Eric. He wis also a real man. It wis a case o twa identities sharing the een body and each een wi completely different characteristics."

Aifter the talk wi the auld wifie Willis felt very sad and betrayed.

"Dinnae be sad," said the Aunt. "Ye were truly loved by Irena and ye brought great joy intae her life. Eric felt ye as a threat and he only wanted tae protect ye both. Irena really loved ye. Ye are a young man and ye will get ower the affair. Gae back tae yer ain folk and ye will surely find somebody tae fall in love wi again. Fit ye experienced wis a love that could only happen eence in a million years, so in a wye ye hae bin very privileged tae hae loved and bin returned love by Irena. Think guid o her and spare some kind thochts for peer Eric wha must hae bin an awfie lonely sad man living a strange life. Life is too short tae harbour grudges.

Willis thanked the aunt for her time and her candid story. At least he wis noo aware o the truth.

Willis returned tae his folk and telt them that he wis noo nae leaving their pairt o the warld and his parents were happy.

Bethany kent that Willis hid suffered some deep traumatic experience. She in her wisdom said tae Willis, "Yes, laddie, life is full o mony strange mysteries and ye hae uncovered and encountered een o them but remember aa experiences are for oor benefit. Oot there somewye there is a lass wha is meant for ye and ye will ken whin ye meet her. Aye, oot there there is a lassie."

THE CURSE O THE LANGKEEK

Ben and Tina hid prepared a lang time for this holiday. This wis gang tae be something really special fae them. Due tae a heart condition Ben hid tae tak an early retirement but he wis financially weel aff, while Tina still worked as a private secretary for an oil magnate. For Tina it wis a weel deserved holiday and she looked forward tae gan tae the Scottish Highlands. In Ben's case, he wanted tae dae faimily history, cos he wis convinced that he aye hid roots in Scotland and his doctor hid recommended a relaxin holiday in some quiet spot. Scotland seemed ideal and baith o them really looked forward tae their holiday.

Tina came o South African Dutch stock and she wis a real attractive lady and weel-versed in mony things. She wis slightly younger than Ben wha wis Dutch, though he wis truly convinced he hid Scottish ancestry. Somewye he felt that his name derived frae an auld Scottish Highland faimily caaed Langcake or Longcake, and seeing as there were sic names in Scotland Ben wanted awfie much tae check it oot.

Oddly enough, Ben didnae look in the slightest bit Scottish, he hid very dark hair and een and mair resembled an Italian, yet Tina hid red hair, blue een and a fair complexion and oot o the twa she hid a mair striking resemblance tae the Scots.

July wis in full bloom and the sun shone strangly aa the wye ower on the ferry. The seven-hour trip frae The Hook o Holland tae Harwich wis gey enjoyable and Ben and Tina basked in the baking sun. Arriving in England they drove their car the lang journey north tae the Scottish Borders whar they bade owernicht in a wee country hotel. Aathing wis gan perfect for them. The best o Scottish cuisine and an evening stroll roon the nearby village jist completed their joy, while the smell o the heather and bracken filled their senses wi sheer delight and enchantment. Never hid they seen sae mony stately homes and castles and they foond the folk chairming. Before retiring tae their beds they listened tae some ceilidh music in the smaa pubbie and drank a few traditional whiskies. Laughter and music filled the air and they were baith gey content wi their lot. Aathing wis up tae their expectations.

The morn they rose early, ate a hearty breakfast and continued their journey up tae the west coast o Scotland. The scenery wis unsurpassed in virgin rugged grandeur. Ben hid often dreamt aboot Scotland and a strange feeling o *déja vu* swirled through him as he looked at the mist-covered mountains. Aawyes he dreamt that he wis in an auld Highland cottage and that he hid lived there a lang time and kent it weel. He aye sat on a heavy wooden chair and the smoke frae the fire nipped his een.

The re-occurring dream must surely hae some meaning and Ben wondered upon it.

As for Tina she jist relaxed, takin in everything that there wis tae see. Twa and a half-hoors passed and the couple foond themsels in a beauty spot wi high soarin mountains and a picturesque loch. Ben felt a shiver gan doon his spine as if the land wis caain tae him. "This is the place," and he telt Tina that he felt a kindred spirit wi the land and jist kent that somewhar in this area the family o Langcake, or Longcake, hailed frae. In order tae please her husband Tina wint along wi his thochts which made Ben awfie happy.

Deeking further alang this lonely road they came across a marvellous auld mansion that wis noo a hotel. It wis caaed, 'The Running Stag' and it wis ideal for them. Its tariffs were awfie pricey but its location wis superb and the couple werenae really wantin for a penny. They booked in and they were ower the moon cos the weather seemed tae hae a freakish heat wave. Ye could almost taste the heather as ye inhaled the freshness o the air.

Een lassie cawed Morag, wha wis a waitress made them feel recht welcome. She wis a real beauty and she flaunted her guid looks and charming personality. The couple took immediately tae her. Morag wis real helpful and telt them a wee bittie aboot the history o the place and its connection wi the Jacobite Rebellion o 1745 and gaed them aa the legends o Bonnie Prince Charlie. Tina wis very interested in aathing Morag wis sayin, but Ben wis mair inclined tae fin oot aboot the Langcakes or Longcakes. Tae his surprise there wis an auld woman in the area called Helen Langcake.

Whinever Morag telt Ben aboot Helen Langcake he wis in a frenzy tae gan and see her. They received directions frae Morag and Ben gave her a fiver for the information. Pure excitement rin through Ben's veins and Tina hid tae gie him a pill tae calm him doon.

"I jist kent that this wis a special place and tae think I'll be meeting a real Langcake. Darling, this is een o mi life's dreams cam true. I aye keep haeing that dream aboot the auld cottage and the heavy wooden chair. Noo at last the dream will become reality and I will be closer wi mi Scottish relatives."

Ere lang they were ootside the cottage o Helen Langcake and wi his heart beatin like a train Ben knocked upon the auld weather-beaten door. A minute passed and then it opened slowly and an auld saintly grey-haired lady wi a hand-woven tartan shawl asked them whit they wanted. Ben wis owercome wi a deep surge o mixed emotions, but Tina cam tae the rescue and did the speaking. She introduced themsels as Mr and Mrs Lankeek frae Holland and said that they were interested in their genealogy, cos Ben wis remotely related tae the Langcakes and wi this purpose in mind, they asked if she could spare them a moment tae talk wi them, and she agreed. Helen Langcake walked wi a queenly mein and invited them intae the hoose. Her voice wis melodic and it added tae her Highland chairm. "Ye will be haeing yer tea, so please sit doon while I brew a fresh pot."

The fire wis blazin weel wi the strang earthy smell o the peats. Ben sat doon on a heavy wooden chair and he couldnae hud back the tears. They didnae go unnoticed by Tina wha quietly took a handkerchief frae oot o her handbag and handed it tae him.

Auld Helen returned wi a fanciful lace tablecloth wi celtic embroidered motifs and spread it ower the large oak table. Aifter draping the table she placed doon wooden table mats wi painted scenes depicted upon them, "It will be jist a bittie langer," she said smiling.

Whin auld Helen reappeared again she placed doon the handsomest tea-set Tina hid ever seen. Helen's cups were o a heavy strong hand-painted earthenware, and although the saucers, side plates and cups were heavy they hid a delicacy aboot them, they were fit for Bonnie Prince Charlie and carefully placed as if being pit doon for a ceremonious banquet. Then cam the teapot adorned wi a gaily coloured tea cosy. Helen bade her guests sit doon and she brocht in scones, pancakes an array o fruit cakes. It wis a traditional feast. The couple ate their fill and Helen encouraged them tae eat mair.

Sitting by the fire Helen wint on tae tell aboot her life as a young quinie in the Highlands and fu she hid mairried Dougal Langcake and they hid only een daughter wha noo bade in England. "Dougal hid nae heir tae cairry the Langcake name, so ye see we are gey few but lang ago there were mony Langcakes biding here. But there wis a great giant o a man wha lived here centuries ago called 'Langkeek' meaning the Lang Eye, he wis a notorious villain. Folk were awfie frightened o him cos it wis said that his sword could cut a man in half and that he wis a man tae be reckoned wi. Furthermore, he dabbled in the Black Airts and he wis a chief warlock. The folk paid him money tae protect them frae raiders. His price wis high but nae man ever fought against him and lived. He reigned a rule o terror ower the folk. Whin he died the folk buried him on top o the wee hillock aboot a mile frae here by the loch and for centuries they hae built up a cairn tae his memory. Some folks believe that he still haunts the district. So tae this day they say that whin a person gaes tae visit the cairn o Langkeek they must leave a smaa stane or rock so that the cairn continually grows."

Ben and Tina listened wi interest cos auld Helen hid a magnetic hold ower them. The time flew by and whin the folks decided tae leave Auld Helen's hame they thanked her for the cordial welcome they hid received.

It wis early evening whin Ben and Tina left the cottage and straightaway they made for the cairn upon the smaa hillock. There were nae problems finding the place cos ye could see the large cairn frae the road. Ben ran aa the wye up the smaal hillock and his heart wis leapin fast. Tina teen her time tae climb it and reprimanded Ben for being so sully racing up wi his heart condition. He couldnae contain himsel. His spine hid frissons running up and doon and Ben kent that this wild ancient man wis in some wye his relation. For aboot quarter o an hoor the twa remained silent contemplating the scenic beauty o nature and taking in aa that they surveyed. Amid aa the excitement Ben forgot tae tak wi him a rock tae build up the cairn.

The sky wis ablaze wi red and the night seemed tae tak on a gey special magical appearance and Ben could see portents in the sky. He hid never bin so excited ower onything and felt like an archacol-ogist discovering a new tomb in the Valley o the Kings for the first time. Tina wis happy cos she kent how much it meant tae Ben wi his dreams becoming a reality.

"Wi'd better be heading back tae the hotel," said Tina, "cos wi are travelling recht up tae the north east o Scotland the morn ."

"Aye darling," he replied gently, "I must tak a

rock wi me tae keep as a souvenir o Langkeek the Warrior."

Ben picked up a smaa rock and pit it in his pocket. Immediately a huge darkened cloud appeared owerheid, yet whin Tina looked up she saw a muckle gowden eagle wi huge wings. Its heid looked like a dragon and it hid an awfie eerie feel aboot it. It swooped doon jist past their heids and grabbed a rabbit within its talons. As it flew ower them it seemed tae leave a fine mist on them. Niver hid Tina witnessed sic a sight. Ben jist looked wi his mooth agape. Then it turned real dark and the rain cam doon in floods. Baith o them were droochit by the time they returned tae their car.

"My guidness, whit changeable weather! I hae niver seen sic a change in the climate in mi life afore. Een minute it is beautiful red and then complete darkness," said Tina.

"Aye, Scotland is quite remarkable," rejoined Ben.

They drove back in the terrible conditions and it wis hazardous aa the wye tae the cosy hotel. The proprietor wis very apologetic aboot the weather and hoped that it wid not spile their stay in Scotland. The couple thocht a couple o fine malts widnae gan amiss afore retiring tae their beds that nicht. It hid bin a lang eventful day for them baith.

Nae hardly a wink did Tina sleep cos she felt somewhat disturbed by the terrible thunder and lightning, while the constant noise o Ben's snorin only added tae her anxiety. On the ither hand Ben

wint intae a deep sleep and stirred not a whit until the morn.

But the weather wis jist as bad next day and Tina hid a splittin headache. Although he hid a guid night's sleep Ben also hid a sinus headache.

Tina niver said onything but thocht upon her ain headache caused wi the lack o sleep. She hid tae drive ower tae Fort William and then tae Banchory via Aiberdeen. It wis a gey lang journey and even though there were quicker wyes tae get tae Banchory, Ben wanted tae see aa the scenic routes. The rain wis torrential aa the wye and it didnae mak driving a pleasant task. Some o the roads were difficult and being frae Holland they kept losing their direction and became lost several times alang the wye.

They hid booked a luxury caravan near Banchory and were baith fettled oot wi the lang drive. It must hae bin aboot midnight whin they eventually found the caravan site and an irate Scotsman greeted them cauldly. He wis annoyed being wakened sae late tae cam oot and open gates fae them. "Wi are awfie sorry," said Ben timidly.

"O aye, they aa say that," he replied gruffly, "the toilet is ower on the end o the site and your cara-van is the last een on the field at the ither end."

Even though the caretaker wisnae in the best o humours they were nae gan tae let that spoil their holiday. Noo by this time Ben wis running a fever and Tina hid a really nasty headache. She teen some painkillers tae try and relieve it but Ben wis on medication for his heart so he hid tae be care-ful.

Wringing wet eence mair Ben fumbled ower the lock on the door o the caravan until it opened and whit a horrible musty smell hit them in the face.

"I think I'm gan tae be sick," said Tina.

"Surely a cat has made a mess in the caravan," said Ben.

It wis completely in the dark and Ben lit a match tae find the lights. The caravan wis in a filthy state and seemed as if it hid nae ever bin cleaned.

The nicht wis lang in passin and baith o them pit in a restless nicht. Tina arose up first cos she felt she must drive intae Banchory tae get some clean-ing fluids and food. A cauld shivering fever hid owercome Ben so he remained in bed. Niver for a moment did the rain halt and aathing wis damp. Whin Tina returned she attended tae Ben's medication and she sponged him doon tae lower his fever. The rest o the time she spent cleaning and freshening up the caravan. Whin she hid finished her work the caravan looked respectable. Whit a let-doon everything wis tae them. Here they were in the heart o castle country and Royal Deeside only tae be hampered wi bad health and dreich weather.

"Does it niver stop raining?" Tina asked hersel, "Why is aathing gan wrang for us?"

Poor Ben wis so ill that Tina hid tae get in a doctor wha wisnae very sympathetic and telt them it wis only a simmer flu aabody seemed tae hae.

Whin the doctor left Tina hid tae drive again in the rain and get the medicine. Unfortunately this medicine didnae agree wi Ben's ither medication and it resulted in Ben being awfie seek. He hid tae rise up every few minutes and gan tae the ither end o the field tae go tae the lavvie. The holiday wis becoming a nightmare. For five lang rainy days they hid tae endure aa kind o ills.

Een though they were supposed tae be in Scotland for anither week Tina decided that she wid phone up the boat company tae see if they could get hame on an earlier ship. At least that wis fruitful. They got a booking frae Harwich the next day. Noo it wis a very lang journey frae Banchory tae Harwich, but Tina wis glad tae be gan hame whar at least if he wis ill then he wid be mair comfortable. She made preparations for the trip back hame and cos Ben wis so ill he could only lie in the back seat o the car. It wid be a gey arduous journey but Tina arranged lodgings at a hotel in Cambridge.

Still the rain came doon in a deluge makin the roads very slippery and twice Tina wis in a skid. She found driving on the left difficult and eence mair it wis almost midnight whin they arrived at Cambridge. They were quickly ushered intae a wee room whar poor Ben could only sigh and moan. Tina niver succumbed tae anger and niver did she loose her calmness. Noo their ship wis leaving at 11.30 am and it wisnae mair than an hoor's drive frae whar they were. Tae their horror somebody hid stolen their car wi aa their things There wis nae time tae cry now, for getting tae Harwich wis the main task. It cost them a ransom for a taxi tae tak them tae the ship. At least they hid their passports and travel documents, but the taxi hid used up nearly aa o their money. It wis aa too much for Ben. He needed treatment frae the medics on the ship. Whit a terrible holiday it hid bin. Scotland wis noo a disaster area for them. Whit mair could happen tae them?

Aifter disembarking, Ben wis rushed intae the hospital for emergency treatment.

Een night soon aifter, whilst Ben wis in the hospital, Tina wis putting oot some washing whin she saw it again. It wis the eagle like an eerie dragon. A cold shiver rin through her. Whit wis its significance? Why wis it showing itself eence mair tae Tina? Suddenly she remembered the rock frae the Langkeek Cairn. It wis still in Ben's jacket pocket. As she hud it in her hand it reverberated and gave aff an evil sensation that Tina could physically feel. Aye, she kent that there wis some direct association wi the taking o the stane and the strange eagle.

That night as she lay in her bed she heard a clatter and whin she gaed tae look fae the cause she foond the rock in her fish-tank.

She picked it oot and placed it in her drawer near her bed. Eence mair she heard a strange clatter and whin she cam through, the stane wis on top o her fridge in the kitchen.

"Am I sleep-walkin or losing mi mind?" she thocht tae herself.

Fear gripped at her heart. She wished the morn wid cam quickly. Then she received a telephone call tae say that Ben wis dangerously ill. The living nightmare wis continuing. Mercilessly the rain lashed doon. Tina hid tae drive tae the hospital tae find that Ben hid jist undergone mair surgery and that he wis still critical. She bade there until early morn whin the doctor telt her that Ben wis now stable and that she should gang hame and hae a sleep. Driving hame she saa the eagle eence mair. Something evil wis unleashed and she kent that the stane frae the cairn hid something tae dae wi it. As she opened her door she saw the eerie shape o a muckle shadowy figure in her room. It wis gey tall and seemed as if it carried a large axe. She ran and pit on the light only tae discover naething. Nae maitter whit happened she wis determined tae ken mair aboot this evil warrior Langkeek.

In the morn, aboot nine o'clock, she thocht that she wid try tae phone Scotland and find oot mair aboot the Langkeek. Tina cawed the hotel whar they hid stayed and she asked tae speak tae Morag. Morag wis thrilled that tourists should remember her by name. Tina asked Morag aboot the Langkeek warrior. The girl kent aa aboot the legend and she telt Tina aboot placing a rock at the cairn afore gan tae visit it. Only then did Tina remember that they hid only teen a stane awa but they niver pit on a stane. Morag telt her aboot the Curse o the Langkeek and how it wis said that if onybody visited the cairn they must leave a stane. If anybody teen yin awa then the Langkeek wid send his gowden eagle tae retrieve it and ill luck wid befall the desecrator o the cairn. She wint on tae explain fu muckle he delved intae the Black Airts. Morag telt Tina that she hid never visited the Cairn cos o the curse. Tina thanked Morag and pit doon the phone.

The spell hid tae be broken as quickly as possible, cos Tina kent that there wis dire evil afoot. There wis nae time tae delay. Richt quickly Tina wis aboard a flight tae Aiberdeen. It wis a bittie ower an hoor and she wis in Aiberdeen by noon. She then caught a train tae Inverness and frae there hired a car and drove fast tae the cairn. Still it rained aa the wye and there were rolling mists ower the hills. An eerie atmosphere wis aawyes. Tina stopped her car on the road near the smaa hillock and made her wye tae the cairn. It wis like deeking through a dark glass and as if she wis see-

ing some yin else daeing it aa for her. Undaunted
in her task, Tina teen the stane frae her handbag
and on the wye up she picked up anither large een
as an offering tae appease the Langkeek Warrior.
A strange flapping o wings seemed tae cam close
tae her and Tina kent that the eagle wis near and
observing her actions. Hastily she pit the larger
stane on an apt place in the pile o stanes and rocks
and then she very carefully placed the yin that Ben
hid removed near the base o the cairn. A crash o
thunder followed by a huge lightning fork followed
her action. Tina cowered by the cairn awfie
flegged. She hid her hand near the stane that she
hid replaced whin a large strang hand grasped
hers. Horror o horrors! it wis the devilish hand o
the Langkeek Warrior..! The grip wis icy cauld and
felt like a vice. Then, seconds later, the grasp

eased and gurgled words were uttered quite gently, 'Tapadh leat.'

Jist as Tina wis recovering frae her ordeal a beautiful ray o sun appeared through the clouds. Then quickly the sunlight broke through.

Tina thought that she wid gan and visit wi auld Helen.

Helen wis surprised tae see her again sae soon and welcomed her in. Tina didnae want tae stay lang but only tae speak tae Helen aboot the Langkeek Curse and the misfortunes that hid befallen them. She asked Helen whit *tapadh leat* meant and Helen telt her it wis Gaelic for, 'Thank ye'.

The next day Tina flew hame tae Holland whar Ben hid made a remarkable recovery. Events started tae change for them and Ben wis soon hame and recuperating weel. The strange eagle niver returned tae haunt them.

Ben and Tina often spake aboot their unusual Scottish holiday and a couple o years later they returned tae Scotland and revisited the Cairn o

Langkeek — but this time they made sure that they baith pit a rock upon the cairn! And they strengthened their links wi Auld Helen and Morag frae the hotel.

In searching fae his Scottish ancestors Ben did find a Mr Langcake and found in their genealogical lines in the early nineteenth century a Steven Langcake hid mairried a Dutch quine cried Vlda van Helling. It wis obviously a connecting link atween Ben and this modern Scottish gadgie, Mr Langcake. The name alang the line hid changed frae Langcake tae Langkeek. So the terrible circumstances ended in Ben and Tina makin real freens wi some wonderful Scottish folk and they aye kept up their friendship through letters and phone calls, and it gaed them a strang respect for the customs, cultures and traditions o the Scottish folk.

GLOSSARY

chatry	stuff, goods
deem	girl
deek	look
deid ceilings	dead silence
dry hunt	hawking without stock
gadgie	man
hinnie back	long time
keir	house
killiecrankie	crazy
leaf alane	alone
shan	awful
skiffie	servant
slim pit up	slim built
speir	ask
stonehorn (mad)	completely (mad)
wing nor roost	nothing

for a complete catalogue of books by
Stanley Robertson, and other authors,
contact the publishers:

Balnain Books
Druim House,
Lochloy Road
Nairn IV12 5LF
Scotland

(01667 452940)